힘이 붙는 수학

연산

초등 6A

단계별 학습 내용

1 초1 수준

A	B
1단계 9까지의 수	**1단계** 100까지의 수
2단계 9까지의 수를 모으기, 가르기	**2단계** 덧셈과 뺄셈(1)
3단계 덧셈과 뺄셈	**3단계** 덧셈과 뺄셈(2)
4단계 50까지의 수	**4단계** 덧셈과 뺄셈(3)

2 초2 수준

A	B
1단계 세 자리 수	**1단계** 네 자리 수
2단계 덧셈과 뺄셈	**2단계** 곱셈구구
3단계 덧셈과 뺄셈의 관계	**3단계** 길이의 계산
4단계 세 수의 덧셈과 뺄셈	**4단계** 시각과 시간
5단계 곱셈	

3 초3 수준

A	B
1단계 덧셈과 뺄셈	**1단계** 곱셈
2단계 나눗셈	**2단계** 나눗셈
3단계 곱셈	**3단계** 분수
4단계 길이와 시간	**4단계** 들이
5단계 분수와 소수	**5단계** 무게

4 초4 수준

A	B
1단계 큰 수	1단계 분수의 덧셈
2단계 각도	2단계 분수의 뺄셈
3단계 곱셈	3단계 소수
4단계 나눗셈	4단계 소수의 덧셈
	5단계 소수의 뺄셈

5 초5 수준

A	B
1단계 자연수의 혼합 계산	1단계 수의 범위
2단계 약수와 배수	2단계 어림하기
3단계 약분과 통분	3단계 분수의 곱셈
4단계 분수의 덧셈과 뺄셈	4단계 소수의 곱셈
5단계 다각형의 둘레와 넓이	5단계 평균

6 초6 수준

A	B
1단계 분수의 나눗셈	1단계 분수의 나눗셈
2단계 소수의 나눗셈	2단계 소수의 나눗셈
3단계 비와 비율	3단계 비례식
4단계 직육면체의 부피와 겉넓이	4단계 비례배분
	5단계 원의 넓이

이렇게 공부해 봐

1 개념 정리

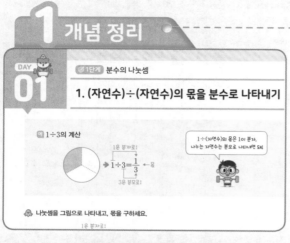

개념 정리 내용을 확인하며 계산 원리를 충분히 이해해요.

2 연산 학습

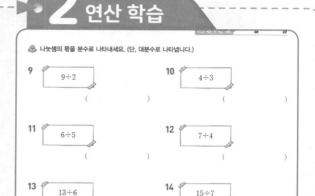

다양한 유형의 연산 문제를 통해 연산력을 강화해요. 매일 연산 학습을 반복하면 더 효과적으로 학습할 수 있어요.

3 생활 속 연산

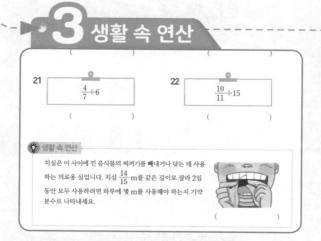

다양한 실생활 속 상황에서 연산력을 키워 문제를 해결해요.

4 마무리 연산

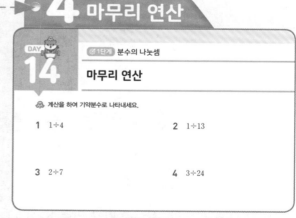

연산 학습을 잘했는지 문제를 풀어 보며 확인해요.

Contents 차례

1

분수의 나눗셈

꾸준하게 풀면 어느새
연산 실력이 엄청
향상되어 있을 거야!

학습 결과와 시간을 써 보세요!

학습 내용	학습 회차	맞힌 개수/걸린 시간
1. (자연수)÷(자연수)의 몫을 분수로 나타내기	DAY 01	/
	DAY 02	/
	DAY 03	/
2. (진분수)÷(자연수)	DAY 04	/
	DAY 05	/
	DAY 06	/
	DAY 07	/
3. (가분수)÷(자연수)	DAY 08	/
	DAY 09	/
	DAY 10	/
4. (대분수)÷(자연수)	DAY 11	/
	DAY 12	/
	DAY 13	/
마무리 연산	DAY 14	/
	DAY 15	/

기초력 상승!

하나 둘!
하나 둘!

🎯 1단계 분수의 나눗셈

1. (자연수)÷(자연수)의 몫을 분수로 나타내기

예 1÷3의 계산

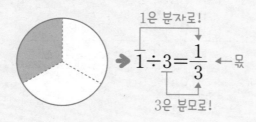

1은 분자로!

$1÷3=\dfrac{1}{3}$ ← 몫

3은 분모로!

1÷(자연수)의 몫은 1이 분자,
나누는 자연수는 분모로 나타내면 돼!

🐙 나눗셈을 그림으로 나타내고, 몫을 구하세요.

1

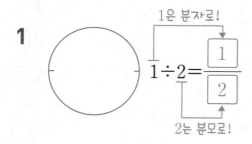

1은 분자로!

$1÷2=\dfrac{1}{2}$

2는 분모로!

2

$1÷5=\dfrac{\Box}{\Box}$

3

$1÷4=\dfrac{\Box}{\Box}$

4

$1÷6=\dfrac{\Box}{\Box}$

5

$1÷8=\dfrac{\Box}{\Box}$

6

$1÷9=\dfrac{\Box}{\Box}$

🐙 나눗셈의 몫을 분수로 나타내세요.

7　$1 \div 7$

8　$1 \div 10$

9　$1 \div 11$

10　$1 \div 22$

11　$1 \div 21$

12　$1 \div 25$

13　$1 \div 26$

14　$1 \div 13$

15　$1 \div 19$

16　$1 \div 27$

17　$1 \div 28$

18　$1 \div 18$

19　$1 \div 16$

20　$1 \div 29$

🎯 1단계 분수의 나눗셈

1. (자연수)÷(자연수)의 몫을 분수로 나타내기

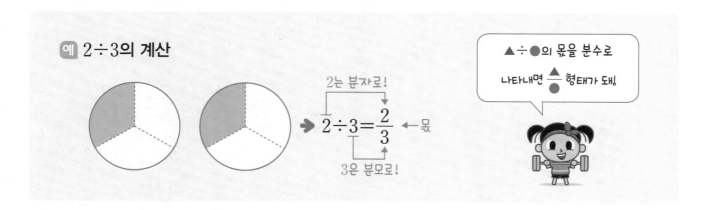

🐙 나눗셈을 그림으로 나타내고, 몫을 구하세요.

1

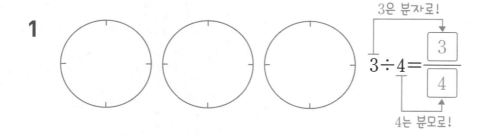

$$3 \div 4 = \frac{3}{4}$$

3은 분자로!
4는 분모로!

2

$$4 \div 5 = \frac{\square}{\square}$$

3

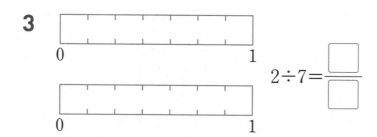

$$2 \div 7 = \frac{\square}{\square}$$

🐙 나눗셈의 몫을 분수로 나타내세요.

4 $2 \div 5$

5 $2 \div 11$

6 $3 \div 14$

7 $4 \div 9$

8 $5 \div 8$

9 $3 \div 10$

10 $9 \div 14$

11 $7 \div 11$

12 $8 \div 13$

13 $8 \div 23$

14 $11 \div 24$

15 $10 \div 17$

16 $15 \div 26$

17 $13 \div 29$

🎯 1단계 분수의 나눗셈

1. (자연수)÷(자연수)의 몫을 분수로 나타내기

예 5÷4의 계산

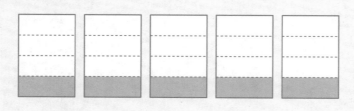

5는 분자로!

$$5÷4=1\cdots1 \;\blacktriangleright\; 5÷4=\frac{5}{4}=1\frac{1}{4}$$

4는 분모로!

5÷4의 몫은 $\frac{5}{4}$이고, 이것을 대분수로 나타내면 $1\frac{1}{4}$이야!

🐙 나눗셈의 몫을 분수로 나타내세요. (단, 대분수로 나타냅니다.)

1 3÷2

2 5÷2

3 5÷3

4 7÷2

5 7÷3

6 9÷4

7 8÷5

8 12÷5

🐙 나눗셈의 몫을 분수로 나타내세요. (단, 대분수로 나타냅니다.)

9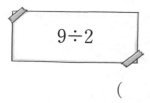
$9 \div 2$

(　　　　　　　)

10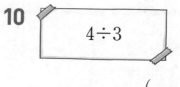
$4 \div 3$

(　　　　　　　)

11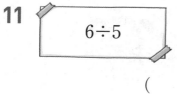
$6 \div 5$

(　　　　　　　)

12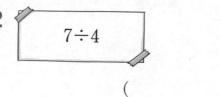
$7 \div 4$

(　　　　　　　)

13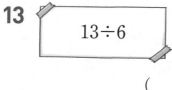
$13 \div 6$

(　　　　　　　)

14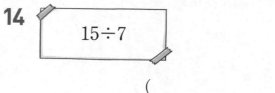
$15 \div 7$

(　　　　　　　)

15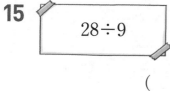
$28 \div 9$

(　　　　　　　)

16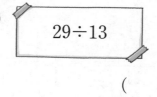
$29 \div 13$

(　　　　　　　)

17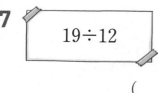
$19 \div 12$

(　　　　　　　)

18
$13 \div 10$

(　　　　　　　)

19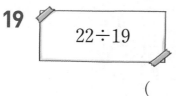
$22 \div 19$

(　　　　　　　)

20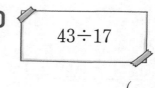
$43 \div 17$

(　　　　　　　)

🎯 1단계 분수의 나눗셈

2. (진분수)÷(자연수)

예 $\dfrac{6}{7} \div 2$의 계산

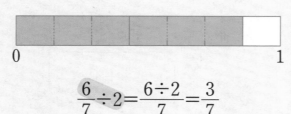

$\dfrac{6}{7} \div 2 = \dfrac{6 \div 2}{7} = \dfrac{3}{7}$

$\dfrac{6}{7} \div 2$는 $\dfrac{6}{7}$을 2묶음으로 나눈 것 중 한 묶음을 말해!

🐙 계산을 하세요.

1 $\dfrac{6}{7} \div 3 = \dfrac{\boxed{6} \div \boxed{3}}{7} = \dfrac{\boxed{2}}{7}$

↳ 6이 3의 배수이면 6을 3으로 나누면 돼.

2 $\dfrac{8}{9} \div 4 = \dfrac{\boxed{} \div \boxed{}}{9} = \dfrac{\boxed{}}{9}$

3 $\dfrac{6}{11} \div 2 = \dfrac{\boxed{} \div \boxed{}}{11} = \dfrac{\boxed{}}{11}$

4 $\dfrac{15}{17} \div 5 = \dfrac{\boxed{} \div \boxed{}}{17} = \dfrac{\boxed{}}{17}$

5 $\dfrac{14}{15} \div 7 = \dfrac{\boxed{} \div \boxed{}}{15} = \dfrac{\boxed{}}{15}$

6 $\dfrac{16}{19} \div 4 = \dfrac{\boxed{} \div \boxed{}}{19} = \dfrac{\boxed{}}{19}$

7 $\dfrac{10}{11} \div 2 = \dfrac{\boxed{} \div \boxed{}}{11} = \dfrac{\boxed{}}{11}$

8 $\dfrac{12}{17} \div 3 = \dfrac{\boxed{} \div \boxed{}}{17} = \dfrac{\boxed{}}{17}$

🐙 계산을 하여 분수로 나타내세요.

9
$$\frac{12}{13} \div 4$$
(   )

10
$$\frac{9}{11} \div 3$$
(   )

11
$$\frac{16}{19} \div 8$$
(   )

12
$$\frac{14}{15} \div 7$$
(   )

13
$$\frac{21}{25} \div 7$$
(   )

14
$$\frac{15}{16} \div 5$$
(   )

15
$$\frac{15}{17} \div 3$$
(   )

16
$$\frac{10}{13} \div 5$$
(   )

17
$$\frac{18}{19} \div 9$$
(   )

18
$$\frac{16}{17} \div 8$$
(   )

19
$$\frac{20}{23} \div 4$$
(   )

20
$$\frac{12}{19} \div 2$$
(   )

2. (진분수)÷(자연수)

예 $\frac{3}{4} \div 2$의 계산

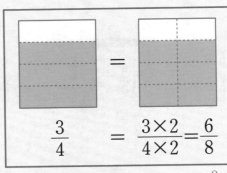

$$\frac{3}{4} = \frac{3 \times 2}{4 \times 2} = \frac{6}{8}$$

÷2

$$\frac{3}{4} \div 2 = \frac{6}{8} \div 2 = \frac{3}{8}$$

$\frac{3}{4}$과 크기가 같은 분수로 나타내!

$\frac{3}{4}$과 크기가 같고 분자가 2로 나누어떨어지는 분수를 찾아 계산해보자!

🐙 계산을 하세요.

1 $\frac{2}{3} \div 3 = \frac{\boxed{6}}{9} \div 3 = \frac{\boxed{6} \div 3}{9} = \frac{\boxed{2}}{9}$

$\frac{2}{3}$와 크기가 같은 분수를 찾아.

2 $\frac{5}{6} \div 3 = \frac{\boxed{}}{18} \div 3 = \frac{\boxed{} \div 3}{18} = \frac{\boxed{}}{18}$

3 $\frac{4}{7} \div 5 = \frac{\boxed{}}{35} \div 5 = \frac{\boxed{} \div 5}{35} = \frac{\boxed{}}{35}$

4 $\frac{5}{8} \div 4 = \frac{\boxed{}}{32} \div 4 = \frac{\boxed{} \div 4}{32} = \frac{\boxed{}}{32}$

🐙 계산을 하여 분수로 나타내세요.

5 $\dfrac{1}{3} \div 4$

(   )

6 $\dfrac{2}{3} \div 5$

(   )

7 $\dfrac{5}{6} \div 2$

(   )

8 $\dfrac{3}{4} \div 5$

(   )

9 $\dfrac{5}{7} \div 3$

(   )

10 $\dfrac{3}{5} \div 5$

(   )

11 $\dfrac{4}{5} \div 7$

(   )

12 $\dfrac{5}{9} \div 4$

(   )

13 $\dfrac{7}{8} \div 3$

(   )

14 $\dfrac{2}{9} \div 5$

(   )

15 $\dfrac{9}{11} \div 4$

(   )

16 $\dfrac{5}{12} \div 3$

(   )

⊚ 1단계 분수의 나눗셈

2. (진분수)÷(자연수)

예 $\dfrac{3}{4} \div 2$의 계산

$$\dfrac{3}{4} \div 2 = \dfrac{3}{4} \times \dfrac{1}{2} = \dfrac{3}{8}$$

÷2를 $\times\dfrac{1}{2}$로 계산해.

÷(자연수)를 $\times\dfrac{1}{(자연수)}$로
바꾼 다음 계산해.

🐙 계산을 하세요.

1 $\dfrac{1}{4} \div 6 = \dfrac{1}{4} \times \dfrac{\boxed{1}}{\boxed{6}} = \dfrac{\boxed{1}}{\boxed{24}}$

÷6을 $\times\dfrac{1}{6}$로 계산해.

2 $\dfrac{3}{4} \div 8 = \dfrac{3}{4} \times \dfrac{\boxed{}}{\boxed{}} = \dfrac{\boxed{}}{\boxed{}}$

÷8을 $\times\dfrac{1}{8}$로 계산해.

3 $\dfrac{3}{5} \div 5 = \dfrac{3}{5} \times \dfrac{\boxed{}}{\boxed{}} = \dfrac{\boxed{}}{\boxed{}}$

4 $\dfrac{5}{6} \div 4 = \dfrac{5}{6} \times \dfrac{\boxed{}}{\boxed{}} = \dfrac{\boxed{}}{\boxed{}}$

5 $\dfrac{5}{7} \div 6 = \dfrac{5}{7} \times \dfrac{\boxed{}}{\boxed{}} = \dfrac{\boxed{}}{\boxed{}}$

6 $\dfrac{5}{8} \div 2 = \dfrac{5}{8} \times \dfrac{\boxed{}}{\boxed{}} = \dfrac{\boxed{}}{\boxed{}}$

7 $\dfrac{7}{9} \div 9 = \dfrac{7}{9} \times \dfrac{\boxed{}}{\boxed{}} = \dfrac{\boxed{}}{\boxed{}}$

8 $\dfrac{3}{10} \div 5 = \dfrac{3}{10} \times \dfrac{\boxed{}}{\boxed{}} = \dfrac{\boxed{}}{\boxed{}}$

🐙 계산을 하여 기약분수로 나타내세요.

9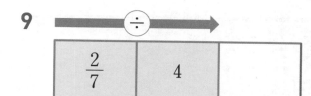

10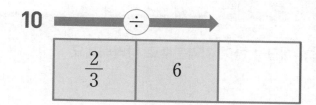

11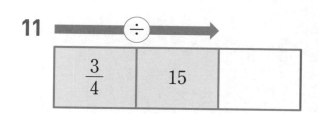

12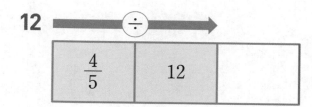

13

$$\div$$

| $\frac{5}{6}$ | 10 | |

14

$$\div$$

| $\frac{6}{7}$ | 8 | |

15

$$\div$$

| $\frac{6}{11}$ | 9 | |

16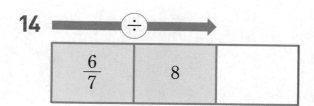

17

$$\div$$

| $\frac{9}{10}$ | 6 | |

18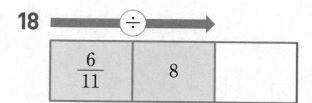

2. (진분수)÷(자연수)

🐙 계산을 하여 기약분수로 나타내세요.

1 $\dfrac{3}{4} \div 3$

2 $\dfrac{4}{5} \div 2$

3 $\dfrac{6}{7} \div 2$

4 $\dfrac{5}{6} \div 5$

5 $\dfrac{3}{7} \div 4$

6 $\dfrac{3}{8} \div 5$

7 $\dfrac{2}{9} \div 3$

8 $\dfrac{7}{10} \div 2$

9 $\dfrac{5}{11} \div 10$

10 $\dfrac{9}{10} \div 21$

11 $\dfrac{6}{13} \div 9$

12 $\dfrac{8}{15} \div 12$

13 $\dfrac{8}{13} \div 16$

14 $\dfrac{13}{16} \div 39$

🐙 계산을 하여 기약분수로 나타내세요.

15 $\dfrac{3}{8} \div 3$

(   )

16 $\dfrac{9}{13} \div 3$

(   )

17 $\dfrac{4}{9} \div 3$

(   )

18 $\dfrac{2}{7} \div 5$

(   )

19 $\dfrac{11}{12} \div 33$

(   )

20 $\dfrac{15}{16} \div 10$

(   )

21 $\dfrac{4}{7} \div 6$

(   )

22 $\dfrac{10}{11} \div 15$

(   )

💡 **생활 속 연산**

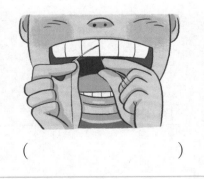

치실은 이 사이에 낀 음식물의 찌꺼기를 빼내거나 닦는 데 사용하는 의료용 실입니다. 치실 $\dfrac{14}{15}$ m를 같은 길이로 잘라 2일 동안 모두 사용하려면 하루에 몇 m를 사용해야 하는지 기약분수로 나타내세요.

(   )

🎯 **1단계** 분수의 나눗셈

3. (가분수)÷(자연수)

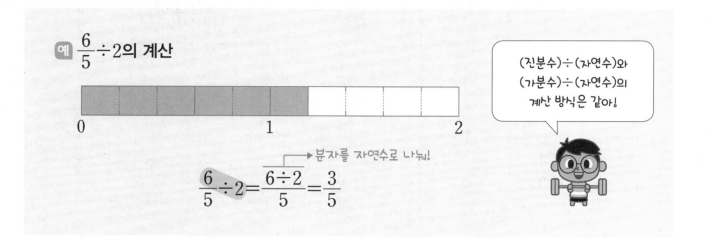

예 $\dfrac{6}{5} \div 2$의 계산

(진분수)÷(자연수)와
(가분수)÷(자연수)의
계산 방식은 같아!

분자를 자연수로 나눠!

$$\dfrac{6}{5} \div 2 = \dfrac{6 \div 2}{5} = \dfrac{3}{5}$$

🐙 계산을 하세요.

1 $\dfrac{4}{3} \div 2 = \dfrac{\boxed{4} \div \boxed{2}}{3} = \dfrac{\boxed{2}}{3}$

2 $\dfrac{7}{4} \div 7 = \dfrac{\boxed{} \div \boxed{}}{4} = \dfrac{\boxed{}}{4}$

3 $\dfrac{9}{4} \div 3 = \dfrac{\boxed{} \div \boxed{}}{4} = \dfrac{\boxed{}}{4}$

4 $\dfrac{6}{5} \div 3 = \dfrac{\boxed{} \div \boxed{}}{5} = \dfrac{\boxed{}}{5}$

5 $\dfrac{12}{7} \div 3 = \dfrac{\boxed{} \div \boxed{}}{7} = \dfrac{\boxed{}}{7}$

6 $\dfrac{9}{8} \div 3 = \dfrac{\boxed{} \div \boxed{}}{8} = \dfrac{\boxed{}}{8}$

7 $\dfrac{10}{9} \div 2 = \dfrac{\boxed{} \div \boxed{}}{9} = \dfrac{\boxed{}}{9}$

8 $\dfrac{21}{10} \div 7 = \dfrac{\boxed{} \div \boxed{}}{10} = \dfrac{\boxed{}}{10}$

🐙 계산을 하여 기약분수로 나타내세요.

9

$\dfrac{7}{2}$ ÷7

10

$\dfrac{12}{5}$ ÷3

11

$\dfrac{17}{6}$ ÷17

12

$\dfrac{25}{7}$ ÷5

13

$\dfrac{32}{7}$ ÷8

14

$\dfrac{15}{8}$ ÷5

15

$\dfrac{11}{8}$ ÷11

16

$\dfrac{20}{9}$ ÷4

17

$\dfrac{27}{10}$ ÷9

18

$\dfrac{24}{11}$ ÷4

3. (가분수)÷(자연수)

예 $\dfrac{8}{5} \div 6$의 계산

$$\dfrac{8}{5} \div 6 = \dfrac{\overset{4}{\cancel{8}}}{5} \times \dfrac{1}{\cancel{6}_{3}} = \dfrac{4}{15}$$

$\div 6$을 $\times \dfrac{1}{6}$로 계산해.

계산 과정에서 약분하면 편리해!

🐙 계산을 하세요.

1 $\dfrac{3}{2} \div 2 = \dfrac{3}{2} \times \dfrac{\boxed{1}}{\boxed{2}} = \dfrac{\boxed{3}}{\boxed{4}}$

2 $\dfrac{4}{3} \div 3 = \dfrac{4}{3} \times \dfrac{\boxed{}}{\boxed{}} = \dfrac{\boxed{}}{\boxed{}}$

3 $\dfrac{5}{4} \div 2 = \dfrac{5}{4} \times \dfrac{\boxed{}}{\boxed{}} = \dfrac{\boxed{}}{\boxed{}}$

4 $\dfrac{7}{6} \div 5 = \dfrac{7}{6} \times \dfrac{\boxed{}}{\boxed{}} = \dfrac{\boxed{}}{\boxed{}}$

5 $\dfrac{9}{5} \div 5 = \dfrac{9}{5} \times \dfrac{\boxed{}}{\boxed{}} = \dfrac{\boxed{}}{\boxed{}}$

6 $\dfrac{8}{7} \div 3 = \dfrac{8}{7} \times \dfrac{\boxed{}}{\boxed{}} = \dfrac{\boxed{}}{\boxed{}}$

7 $\dfrac{9}{8} \div 4 = \dfrac{9}{8} \times \dfrac{\boxed{}}{\boxed{}} = \dfrac{\boxed{}}{\boxed{}}$

8 $\dfrac{10}{9} \div 3 = \dfrac{10}{9} \times \dfrac{\boxed{}}{\boxed{}} = \dfrac{\boxed{}}{\boxed{}}$

🐙 계산을 하여 기약분수로 나타내세요.

9 $\dfrac{5}{2} \div 10$

(   )

10 $\dfrac{8}{3} \div 6$

(   )

11 $\dfrac{9}{4} \div 12$

(   )

12 $\dfrac{7}{5} \div 14$

(   )

13 $\dfrac{11}{6} \div 33$

(   )

14 $\dfrac{10}{7} \div 8$

(   )

15 $\dfrac{15}{8} \div 10$

(   )

16 $\dfrac{13}{9} \div 26$

(   )

17 $\dfrac{21}{10} \div 6$

(   )

18 $\dfrac{14}{11} \div 8$

(   )

19 $\dfrac{13}{12} \div 4$

(   )

20 $\dfrac{15}{13} \div 12$

(   )

🎯 1단계 분수의 나눗셈

3. (가분수)÷(자연수)

🐙 계산 결과를 찾아 색칠하세요.

1

$$\frac{11}{9} \div 5$$

⬇

$\frac{11}{45}$	$\frac{13}{45}$	$\frac{17}{45}$

2

$$\frac{7}{4} \div 2$$

⬇

$\frac{7}{4}$	$\frac{7}{8}$	$\frac{9}{8}$

3

$$\frac{13}{6} \div 4$$

⬇

$\frac{13}{24}$	$\frac{17}{24}$	$\frac{19}{24}$

4

$$\frac{17}{5} \div 7$$

⬇

$\frac{11}{35}$	$\frac{13}{35}$	$\frac{17}{35}$

5

$$\frac{10}{3} \div 5$$

⬇

$\frac{1}{3}$	$\frac{2}{3}$	$\frac{1}{4}$

6

$$\frac{16}{5} \div 8$$

⬇

$\frac{3}{10}$	$\frac{1}{5}$	$\frac{2}{5}$

7

$$\frac{13}{2} \div 26$$

⬇

$\frac{1}{3}$	$\frac{1}{4}$	$\frac{1}{5}$

8

$$\frac{36}{7} \div 12$$

⬇

$\frac{3}{7}$	$\frac{5}{7}$	$\frac{9}{7}$

🐙 계산 결과를 찾아 선으로 이으세요.

9

$\dfrac{10}{7} \div 5$

$\dfrac{25}{7} \div 10$

$\dfrac{2}{7}$

$\dfrac{2}{14}$

$\dfrac{5}{14}$

10

$\dfrac{17}{9} \div 5$

$\dfrac{28}{9} \div 12$

$\dfrac{7}{27}$

$\dfrac{17}{45}$

$\dfrac{7}{45}$

11

$\dfrac{7}{4} \div 6$

$\dfrac{35}{12} \div 14$

$\dfrac{5}{24}$

$\dfrac{6}{24}$

$\dfrac{7}{24}$

12

$\dfrac{19}{13} \div 4$

$\dfrac{36}{13} \div 9$

$\dfrac{4}{13}$

$\dfrac{19}{52}$

$\dfrac{36}{52}$

💡 **생활 속 연산**

금모으기운동은 1998년 외환 위기 때 우리나라 국민들이 자발적으로 시작한 운동입니다. 1998년 1월부터 4월까지 진행한 금모으기운동에서 4월 한 달 동안 모은 금은 $\dfrac{269}{50}$ t입니다. 이 때, 하루 평균 몇 t의 금을 모았는지 구하세요. (단, 4월은 30일까지 있습니다.)

(   )

◎ 1단계 분수의 나눗셈

4. (대분수)÷(자연수)

예 $1\frac{2}{7} \div 3$의 계산

$$1\frac{2}{7} \div 3 = \frac{9}{7} \div 3 = \frac{9 \div 3}{7} = \frac{3}{7}$$

→ 분자를 자연수로 나눠!

대분수를 가분수로 바꿔!

대분수를 가분수로 바꿔서 (가분수)÷(자연수)로 계산해.

🐙 계산을 하세요.

1 $1\frac{1}{3} \div 2 = \frac{\boxed{4}}{3} \div 2 = \frac{\boxed{4} \div 2}{3} = \frac{\boxed{2}}{\boxed{3}}$

→ 가분수를 대분수로 바꿔서 계산해.

2 $2\frac{1}{4} \div 3 = \frac{\boxed{}}{4} \div 3 = \frac{\boxed{} \div 3}{4} = \frac{\boxed{}}{\boxed{}}$

3 $1\frac{3}{5} \div 4 = \frac{\boxed{}}{5} \div 4 = \frac{\boxed{} \div 4}{5} = \frac{\boxed{}}{\boxed{}}$

4 $5\frac{3}{5} \div 7 = \frac{\boxed{}}{5} \div 7 = \frac{\boxed{} \div 7}{5} = \frac{\boxed{}}{\boxed{}}$

5 $4\frac{2}{7} \div 6 = \frac{\boxed{}}{7} \div 6 = \frac{\boxed{} \div 6}{7} = \frac{\boxed{}}{\boxed{}}$

🐙 계산을 하여 분수로 나타내세요. (단, 계산 결과가 가분수이면 대분수로 나타냅니다.)

6
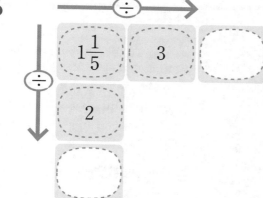

7
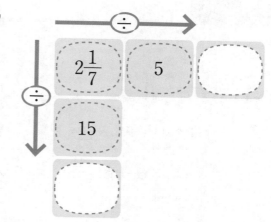

8
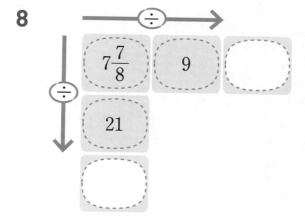

9
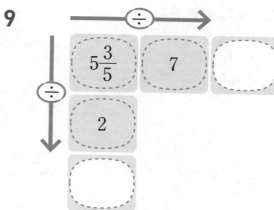

10
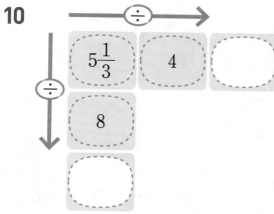

11
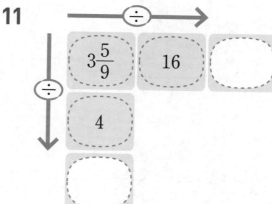

◎ 1단계 분수의 나눗셈

4. (대분수)÷(자연수)

예 $1\dfrac{2}{7} \div 6$의 계산

먼저 대분수를 가분수로 바꿔!

$$1\frac{2}{7} \div 6 = \frac{9}{7} \div 6 = \frac{\overset{3}{\cancel{9}}}{7} \times \frac{1}{\underset{2}{\cancel{6}}} = \frac{3}{14}$$

$\div 6$을 $\times \dfrac{1}{6}$로 계산해!

대분수를 가분수로 바꾸지 않고 계산하면 계산 결과가 달라지니 조심해

🐙 계산을 하세요.

1 $1\dfrac{1}{3} \div 3 = \dfrac{\boxed{4}}{3} \div 3 = \dfrac{\boxed{4}}{3} \times \dfrac{1}{\boxed{3}} = \dfrac{\boxed{4}}{\boxed{9}}$

2 $3\dfrac{1}{4} \div 5 = \dfrac{\boxed{}}{4} \div 5 = \dfrac{\boxed{}}{4} \times \dfrac{1}{\boxed{}} = \dfrac{\boxed{}}{\boxed{}}$

3 $1\dfrac{2}{7} \div 4 = \dfrac{\boxed{}}{7} \div 4 = \dfrac{\boxed{}}{7} \times \dfrac{1}{\boxed{}} = \dfrac{\boxed{}}{\boxed{}}$

4 $4\dfrac{2}{5} \div 5 = \dfrac{\boxed{}}{5} \div 5 = \dfrac{\boxed{}}{5} \times \dfrac{1}{\boxed{}} = \dfrac{\boxed{}}{\boxed{}}$

5 $3\dfrac{5}{6} \div 5 = \dfrac{\boxed{}}{6} \div 5 = \dfrac{\boxed{}}{6} \times \dfrac{1}{\boxed{}} = \dfrac{\boxed{}}{\boxed{}}$

🐙 계산을 하여 기약분수로 나타내세요. (단, 계산 결과가 가분수이면 대분수로 나타냅니다.)

6
$$5\frac{1}{7} \div 6$$ ◯

7
$$6\frac{2}{5} \div 8$$ ◯

8
$$7\frac{3}{7} \div 13$$ ◯

9
$$8\frac{1}{6} \div 7$$ ◯

10
$$1\frac{2}{9} \div 2$$ ◯

11
$$1\frac{3}{4} \div 3$$ ◯

12
$$4\frac{5}{6} \div 7$$ ◯

13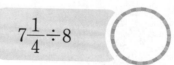
$$7\frac{1}{4} \div 8$$ ◯

14
$$4\frac{1}{5} \div 6$$ ◯

15
$$2\frac{5}{8} \div 6$$ ◯

16
$$6\frac{4}{7} \div 12$$ ◯

17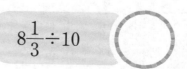
$$8\frac{1}{3} \div 10$$ ◯

1단계 분수의 나눗셈

4. (대분수)÷(자연수)

계산 결과를 찾아 색칠하세요.

1

$$2\frac{2}{7} \div 8$$

⬇

$\dfrac{1}{7}$	$\dfrac{2}{7}$	$\dfrac{3}{7}$

2

$$8\frac{2}{11} \div 15$$

⬇

$\dfrac{6}{11}$	$\dfrac{7}{11}$	$\dfrac{8}{11}$

3

$$1\frac{3}{17} \div 10$$

⬇

$\dfrac{2}{17}$	$\dfrac{3}{17}$	$\dfrac{4}{17}$

4

$$1\frac{8}{9} \div 3$$

⬇

$\dfrac{8}{27}$	$\dfrac{3}{27}$	$\dfrac{17}{27}$

5

$$1\frac{3}{10} \div 2$$

⬇

$\dfrac{11}{20}$	$\dfrac{13}{20}$	$\dfrac{17}{20}$

6

$$9\frac{9}{10} \div 22$$

⬇

$\dfrac{3}{20}$	$\dfrac{7}{20}$	$\dfrac{9}{20}$

7

$$5\frac{5}{16} \div 10$$

⬇

$\dfrac{13}{32}$	$\dfrac{15}{32}$	$\dfrac{17}{32}$

8

$$3\frac{1}{8} \div 10$$

⬇

$\dfrac{3}{16}$	$\dfrac{5}{16}$	$\dfrac{7}{16}$

🐙 계산 결과를 찾아 선으로 이으세요.

9

$4\frac{2}{3} \div 7$

$6\frac{2}{7} \div 11$

$\frac{4}{7}$

$\frac{2}{7}$

$\frac{2}{3}$

10

$6\frac{4}{5} \div 4$

$5\frac{5}{7} \div 4$

$1\frac{3}{7}$

$1\frac{6}{35}$

$1\frac{7}{10}$

11

$6\frac{3}{4} \div 2$

$4\frac{1}{5} \div 3$

$1\frac{2}{5}$

$1\frac{3}{5}$

$3\frac{3}{8}$

12

$6\frac{2}{3} \div 6$

$4\frac{2}{7} \div 2$

$1\frac{20}{21}$

$1\frac{1}{9}$

$2\frac{1}{7}$

💡 **생활 속 연산**

벽면 $6\frac{2}{5}$ m^{2}를 칠하는 데 페인트 4 L를 사용했습니다. 페인트 1 L로 칠한 벽면의 넓이는 몇 m^{2}인지 구하세요. (단, 계산 결과가 가분수이면 대분수로 나타냅니다.)

(   )

마무리 연산

🐙 계산을 하여 기약분수로 나타내세요.

1 $1 \div 4$

2 $1 \div 13$

3 $2 \div 7$

4 $3 \div 24$

5 $11 \div 6$

6 $15 \div 9$

7 $\dfrac{4}{7} \div 2$

8 $\dfrac{8}{9} \div 4$

9 $\dfrac{7}{10} \div 3$

10 $\dfrac{5}{6} \div 2$

11 $\dfrac{2}{11} \div 6$

12 $\dfrac{7}{16} \div 14$

13 $\dfrac{6}{7} \div 14$

14 $\dfrac{9}{10} \div 6$

🐙 계산을 하여 기약분수로 나타내세요. (단, 계산 결과가 가분수이면 대분수로 나타냅니다.)

15
$$1 \div 3$$
(   )

16
$$1 \div 7$$
(   )

17
$$11 \div 9$$
(   )

18
$$13 \div 4$$
(   )

19
$$\frac{6}{7} \div 2$$
(   )

20
$$\frac{8}{11} \div 4$$
(   )

21
$$\frac{2}{9} \div 3$$
(   )

22
$$\frac{4}{5} \div 3$$
(   )

23
$$\frac{12}{13} \div 9$$
(   )

24
$$\frac{14}{17} \div 4$$
(   )

25
$$\frac{9}{13} \div 6$$
(   )

26
$$\frac{8}{15} \div 6$$
(   )

마무리 연산

🐙 계산을 하여 기약분수로 나타내세요. (단, 계산 결과가 가분수이면 대분수로 나타냅니다.)

1 $\dfrac{8}{3} \div 4$

2 $\dfrac{15}{4} \div 3$

3 $\dfrac{16}{7} \div 2$

4 $\dfrac{32}{5} \div 6$

5 $\dfrac{24}{11} \div 10$

6 $\dfrac{17}{15} \div 34$

7 $2\dfrac{4}{5} \div 7$

8 $1\dfrac{5}{7} \div 3$

9 $1\dfrac{7}{9} \div 4$

10 $1\dfrac{1}{11} \div 8$

11 $3\dfrac{1}{8} \div 9$

12 $5\dfrac{1}{3} \div 2$

13 $4\dfrac{1}{11} \div 5$

14 $6\dfrac{2}{13} \div 8$

🐙 계산을 하여 기약분수로 나타내세요. (단, 계산 결과가 가분수이면 대분수로 나타냅니다.)

15 $\dfrac{16}{9} \div 4$ ◯

16 $\dfrac{15}{8} \div 3$ ◯

17 $\dfrac{14}{3} \div 7$ ◯

18 $\dfrac{49}{8} \div 14$ ◯

19 $2\dfrac{1}{4} \div 3$ ◯

20 $9\dfrac{1}{7} \div 24$ ◯

21 $5\dfrac{1}{5} \div 13$ ◯

22 $1\dfrac{5}{16} \div 7$ ◯

23 $6\dfrac{3}{7} \div 3$ ◯

24 $7\dfrac{6}{7} \div 10$ ◯

25 $2\dfrac{3}{11} \div 5$ ◯

26 $6\dfrac{3}{4} \div 15$ ◯

2

소수의 나눗셈

계산 실수를 하지 않게
집중해서 풀어 보자!

학습 결과와 시간을 써 보세요!

학습 내용	학습 회차	맞힌 개수/걸린 시간
1. 자연수의 나눗셈을 이용한 (소수)÷(자연수)	DAY 01	/
	DAY 02	/
2. 각 자리에서 나누어떨어지는 (소수)÷(자연수)	DAY 03	/
	DAY 04	/
	DAY 05	/
	DAY 06	/
	DAY 07	/
3. 각 자리에서 나누어떨어지지 않는 (소수)÷(자연수)	DAY 08	/
	DAY 09	/
	DAY 10	/
	DAY 11	/
	DAY 12	/
4. 몫이 1보다 작은 소수인 (소수)÷(자연수)	DAY 13	/
	DAY 14	/
	DAY 15	/
	DAY 16	/
5. 소수점 아래 0을 내려 계산하는 (소수)÷(자연수)	DAY 17	/
	DAY 18	/
	DAY 19	/
	DAY 20	/
	DAY 21	/
6. 몫의 소수 첫째 자리에 0이 있는 (소수)÷(자연수)	DAY 22	/
	DAY 23	/
	DAY 24	/
	DAY 25	/
	DAY 26	/
7. (자연수)÷(자연수)	DAY 27	/
	DAY 28	/
	DAY 29	/
마무리 연산	DAY 30	/
	DAY 31	/

하나 둘!
하나 둘!

🎯 **2단계** 소수의 나눗셈

1. 자연수의 나눗셈을 이용한 (소수)÷(자연수)

예 246÷2를 이용한 24.6÷2, 2.46÷2의 계산

$$\frac{1}{100}\text{배} \begin{cases} \frac{1}{10}\text{배} \begin{cases} 246÷2=123 \\ 24.6÷2=12.3 \end{cases} \frac{1}{10}\text{배} \\ 2.46÷2=1.23 \end{cases} \frac{1}{100}\text{배}$$

🐙 자연수의 나눗셈을 이용하여 소수의 나눗셈을 하려고 합니다. ☐ 안에 알맞은 수를 써넣으세요.

1

$$\frac{1}{100}\text{배} \begin{cases} \frac{1}{10}\text{배} \begin{cases} 393÷3=131 \\ 39.3÷3=\boxed{13.1} \end{cases} \frac{1}{10}\text{배} \\ 3.93÷3=\boxed{1.31} \end{cases} \frac{1}{100}\text{배}$$

나누는 수가 같을 때
나누어지는 수가 $\frac{1}{10}$배가 되면
몫도 $\frac{1}{10}$배가 돼!

2

$$\frac{1}{100}\text{배} \begin{cases} \frac{1}{10}\text{배} \begin{cases} 408÷4=102 \\ 40.8÷4=\boxed{} \end{cases} \frac{1}{10}\text{배} \\ 4.08÷4=\boxed{} \end{cases} \frac{1}{100}\text{배}$$

3

$$\frac{1}{100}\text{배} \begin{cases} \frac{1}{10}\text{배} \begin{cases} 648÷2=324 \\ 64.8÷2=\boxed{} \end{cases} \frac{1}{10}\text{배} \\ 6.48÷2=\boxed{} \end{cases} \frac{1}{100}\text{배}$$

🐙 자연수의 나눗셈을 이용하여 소수의 나눗셈을 하려고 합니다. ☐ 안에 알맞은 수를 써넣으세요.

4

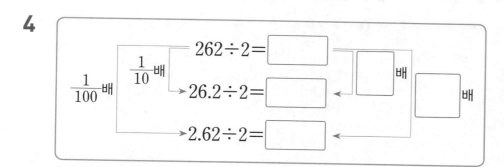

$262 \div 2 =$ ☐

$26.2 \div 2 =$ ☐

$2.62 \div 2 =$ ☐

$\frac{1}{100}$배 $\frac{1}{10}$배   ☐ 배   ☐ 배

5

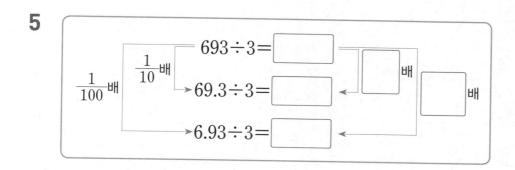

$693 \div 3 =$ ☐

$69.3 \div 3 =$ ☐

$6.93 \div 3 =$ ☐

$\frac{1}{100}$배 $\frac{1}{10}$배   ☐ 배   ☐ 배

6

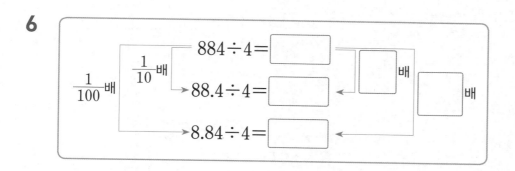

$884 \div 4 =$ ☐

$88.4 \div 4 =$ ☐

$8.84 \div 4 =$ ☐

$\frac{1}{100}$배 $\frac{1}{10}$배   ☐ 배   ☐ 배

7

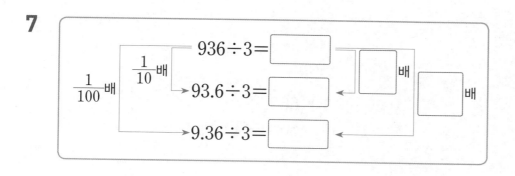

$936 \div 3 =$ ☐

$93.6 \div 3 =$ ☐

$9.36 \div 3 =$ ☐

$\frac{1}{100}$배 $\frac{1}{10}$배   ☐ 배   ☐ 배

◎ **2단계** 소수의 나눗셈

1. 자연수의 나눗셈을 이용한 (소수)÷(자연수)

🐙 계산을 하세요.

1 $284 \div 2$
$28.4 \div 2$
$2.84 \div 2$

2 $636 \div 3$
$63.6 \div 3$
$6.36 \div 3$

3 $606 \div 6$
$60.6 \div 6$
$6.06 \div 6$

4 $777 \div 7$
$77.7 \div 7$
$7.77 \div 7$

5 $339 \div 3$
$33.9 \div 3$
$3.39 \div 3$

6 $824 \div 2$
$82.4 \div 2$
$8.24 \div 2$

7 $884 \div 2$
$88.4 \div 2$
$8.84 \div 2$

8 $804 \div 4$
$80.4 \div 4$
$8.04 \div 4$

9 $963 \div 3$
$96.3 \div 3$
$9.63 \div 3$

10 $664 \div 2$
$66.4 \div 2$
$6.64 \div 2$

🐙 계산을 하세요.

11

$248 \div 2$	
$24.8 \div 2$	
$2.48 \div 2$	

12

$468 \div 2$	
$46.8 \div 2$	
$4.68 \div 2$	

13

$624 \div 2$	
$62.4 \div 2$	
$6.24 \div 2$	

14

$369 \div 3$	
$36.9 \div 3$	
$3.69 \div 3$	

15

$663 \div 3$	
$66.3 \div 3$	
$6.63 \div 3$	

16

$555 \div 5$	
$55.5 \div 5$	
$5.55 \div 5$	

17

$404 \div 4$	
$40.4 \div 4$	
$4.04 \div 4$	

18

$668 \div 2$	
$66.8 \div 2$	
$6.68 \div 2$	

19

$888 \div 4$	
$88.8 \div 4$	
$8.88 \div 4$	

20

$903 \div 3$	
$90.3 \div 3$	
$9.03 \div 3$	

◎ 2단계 소수의 나눗셈

2. 각 자리에서 나누어떨어지는 (소수)÷(자연수)

예 2.4÷2의 계산

```
       1.2
   2 ) 2.4
       2
       4
       4
       0
```

몫의 소수점은 나누어지는 수의 소수점과 같은 자리에 찍어.

자연수의 나눗셈과 같은 방법으로 계산하면 돼!

🐙 계산을 하세요.

1
```
       1.3
   2 ) 2.6
       2
       6
       6
       0
```

2
```
   2 ) 6.4
```

3
```
   2 ) 8.6
```

4
```
   3 ) 3.6
```

5
```
   3 ) 6.3
```

6
```
   3 ) 9.6
```

 계산을 하세요.

7
$$2 \overline{)\ 8.4\ }$$

8
$$3 \overline{)\ 6.9\ }$$

9
$$4 \overline{)\ 8.8\ }$$

10
$$2 \overline{)\ 2.2\ }$$

11
$$2 \overline{)\ 4.8\ }$$

12
$$4 \overline{)\ 8.4\ }$$

13
$$3 \overline{)\ 6.6\ }$$

14
$$5 \overline{)\ 5.5\ }$$

15
$$3 \overline{)\ 9.3\ }$$

16
$$4 \overline{)\ 4.8\ }$$

17
$$2 \overline{)\ 8.8\ }$$

18
$$6 \overline{)\ 6.6\ }$$

🎯2단계 소수의 나눗셈

2. 각 자리에서 나누어떨어지는 (소수)÷(자연수)

예 2.4÷2를 분수의 나눗셈으로 바꾸어 계산하기

$$2.4 \div 2 = \frac{24}{10} \div 2 = \frac{24 \div 2}{10} = \frac{12}{10} = 1.2$$

소수 한 자리 수는 분모가 10인 분수로 바꿔!

🐙 계산을 하여 몫을 소수로 나타내세요.

1 $4.6 \div 2 = \dfrac{\boxed{46}}{10} \div 2 = \dfrac{\boxed{46} \div 2}{10} = \dfrac{\boxed{23}}{10} = \boxed{2.3}$

2 $3.9 \div 3 = \dfrac{\boxed{}}{10} \div 3 = \dfrac{\boxed{} \div 3}{10} = \dfrac{\boxed{}}{10} = \boxed{}$

3 $5.5 \div 5 = \dfrac{\boxed{}}{10} \div 5 = \dfrac{\boxed{} \div 5}{10} = \dfrac{\boxed{}}{10} = \boxed{}$

4 $39.6 \div 3 = \dfrac{\boxed{}}{10} \div 3 = \dfrac{\boxed{} \div 3}{10} = \dfrac{\boxed{}}{10} = \boxed{}$

5 $44.8 \div 4 = \dfrac{\boxed{}}{10} \div 4 = \dfrac{\boxed{} \div 4}{10} = \dfrac{\boxed{}}{10} = \boxed{}$

🐙 계산을 하세요.

6
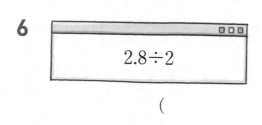
$2.8 \div 2$

(   )

7
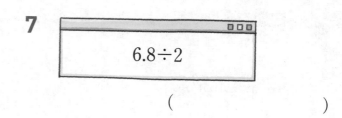
$6.8 \div 2$

(   )

8
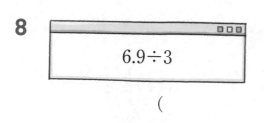
$6.9 \div 3$

(   )

9
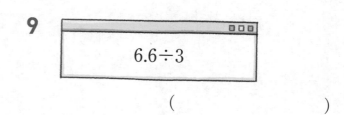
$6.6 \div 3$

(   )

10
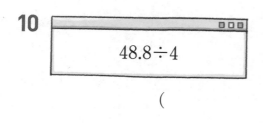
$48.8 \div 4$

(   )

11
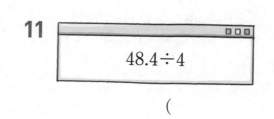
$48.4 \div 4$

(   )

12
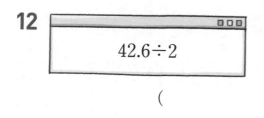
$42.6 \div 2$

(   )

13
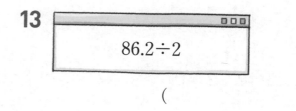
$86.2 \div 2$

(   )

14
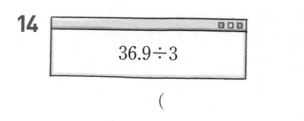
$36.9 \div 3$

(   )

15
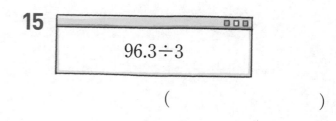
$96.3 \div 3$

(   )

16
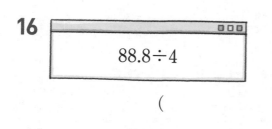
$88.8 \div 4$

(   )

17
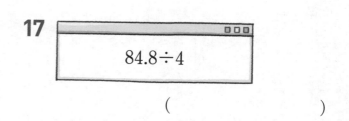
$84.8 \div 4$

(   )

◎ 2단계 소수의 나눗셈

2. 각 자리에서 나누어떨어지는 (소수)÷(자연수)

예 2.48÷2의 계산

```
      1.2 4
  2 )2.4 8
      2
      ─
        4
        4
      ───
          8
          8
      ─────
          0
```

몫의 소수점은 나누어지는 수의 소수점과 같은 자리에 찍어.

나머지가 0이 될 때까지 계산하면 돼!

🐙 계산을 하세요.

1
```
      1.1 3
  2 )2.2 6
      2
      ─
        2
        2
      ───
          6
          6
      ─────
          0
```

2
```
  3 )3.9 6
```

3
```
  4 )4.8 8
```

🐙 계산을 하세요.

4

$2\,)\overline{4.8\;6}$

5

$3\,)\overline{9.6\;3}$

6

$4\,)\overline{8.4\;8}$

7

$2\,)\overline{2.8\;6}$

8

$2\,)\overline{4.2\;8}$

9

$2\,)\overline{6.8\;2}$

10

$3\,)\overline{3.6\;9}$

11

$3\,)\overline{6.9\;3}$

12

$3\,)\overline{3.6\;3}$

13

$2\,)\overline{8.8\;4}$

14

$3\,)\overline{9.9\;6}$

15

$4\,)\overline{8.4\;4}$

🎯 2단계 소수의 나눗셈

2. 각 자리에서 나누어떨어지는 (소수)÷(자연수)

예 $2.48 \div 2$를 분수의 나눗셈으로 바꾸어 계산하기

$$2.48 \div 2 = \frac{248}{100} \div 2 = \frac{248 \div 2}{100} = \frac{124}{100} = 1.24$$

소수 두 자리 수는 분모가 100인 분수로 바꿔!

🐙 계산을 하여 몫을 소수로 나타내세요.

1 $2.68 \div 2 = \dfrac{268}{100} \div 2 = \dfrac{268 \div 2}{100} = \dfrac{134}{100} = 1.34$

2 $6.93 \div 3 = \dfrac{\boxed{}}{100} \div 3 = \dfrac{\boxed{} \div 3}{100} = \dfrac{\boxed{}}{100} = \boxed{}$

3 $8.84 \div 4 = \dfrac{\boxed{}}{100} \div 4 = \dfrac{\boxed{} \div 4}{100} = \dfrac{\boxed{}}{100} = \boxed{}$

4 $46.48 \div 2 = \dfrac{\boxed{}}{100} \div 2 = \dfrac{\boxed{} \div 2}{100} = \dfrac{\boxed{}}{100} = \boxed{}$

5 $63.39 \div 3 = \dfrac{\boxed{}}{100} \div 3 = \dfrac{\boxed{} \div 3}{100} = \dfrac{\boxed{}}{100} = \boxed{}$

🐙 계산을 하세요.

6 $4.28 \div 2$

(   )

7 $6.96 \div 3$

(   )

8 $5.55 \div 5$

(   )

9 $7.07 \div 7$

(   )

10 $69.39 \div 3$

(   )

11 $40.48 \div 4$

(   )

12 $24.46 \div 2$

(   )

13 $63.36 \div 3$

(   )

14 $93.69 \div 3$

(   )

15 $84.84 \div 4$

(   )

16 $88.46 \div 2$

(   )

17 $82.42 \div 2$

(   )

2. 각 자리에서 나누어떨어지는 (소수)÷(자연수)

🐙 계산을 하세요.

1 $8.2 \div 2$

2 $6.3 \div 3$

3 $28.4 \div 2$

4 $63.9 \div 3$

5 $36.6 \div 3$

6 $93.3 \div 3$

7 $2.48 \div 2$

8 $8.22 \div 2$

9 $8.88 \div 8$

10 $6.93 \div 3$

11 $48.02 \div 2$

12 $66.39 \div 3$

13 $42.28 \div 2$

14 $33.99 \div 3$

🐙 주어진 물을 컵에 똑같이 나누어 담을 때 한 컵에 담아야 하는 물의 양을 구하세요.

15  컵 2개에 담으면
컵 한 개당 ☐ L

16 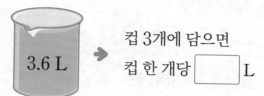 컵 3개에 담으면
컵 한 개당 ☐ L

17 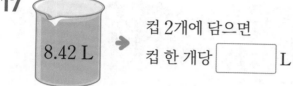 컵 2개에 담으면
컵 한 개당 ☐ L

18 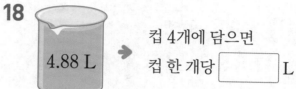 컵 4개에 담으면
컵 한 개당 ☐ L

19 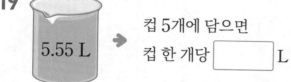 컵 5개에 담으면
컵 한 개당 ☐ L

20 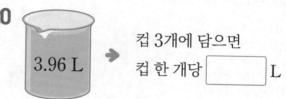 컵 3개에 담으면
컵 한 개당 ☐ L

21 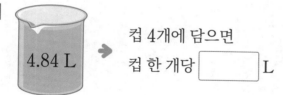 컵 4개에 담으면
컵 한 개당 ☐ L

22 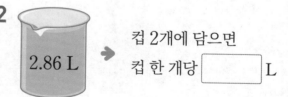 컵 2개에 담으면
컵 한 개당 ☐ L

23 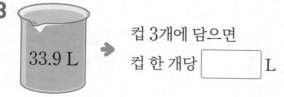 컵 3개에 담으면
컵 한 개당 ☐ L

24 컵 2개에 담으면
컵 한 개당 ☐ L

3. 각 자리에서 나누어떨어지지 않는 (소수)÷(자연수)

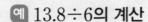

예 13.8÷6의 계산

```
        2.3
   6 ) 1 3.8
       1 2
       ─────
         1 8
         1 8
       ─────
           0
```

몫의 소수점은 나누어지는 수의 소수점과 같은 자리에 찍어.

자연수의 나눗셈과 같은 방법으로 나머지가 0이 될 때까지 계산하면 돼!

🐙 계산을 하세요.

1
```
       2 . 7
   2 ) 5 . 4
       4
     ─────
       1   4
       1   4
     ─────
           0
```

2
```
   3 ) 7 . 5
```

3
```
   2 ) 9 . 8
```

4
```
   3 ) 5 . 7
```

5
```
   4 ) 9 . 6
```

6
```
   3 ) 8 . 1
```

🐙 계산을 하세요.

7
$4 \overline{)2\ 2.8}$

8
$5 \overline{)3\ 3.5}$

9
$6 \overline{)3\ 5.4}$

10
$7 \overline{)2\ 4.5}$

11
$8 \overline{)3\ 9.2}$

12
$9 \overline{)2\ 4.3}$

13
$1\ 1 \overline{)5\ 9.4}$

14
$1\ 2 \overline{)5\ 5.2}$

15
$1\ 3 \overline{)4\ 5.5}$

16
$1\ 4 \overline{)6\ 1.6}$

17
$1\ 5 \overline{)5\ 8.5}$

18
$1\ 6 \overline{)4\ 6.4}$

3. 각 자리에서 나누어떨어지지 않는 (소수)÷(자연수)

예 13.8÷6을 분수의 나눗셈으로 바꾸어 계산하기

$$13.8÷6=\frac{\overset{23}{138}}{10}×\frac{1}{\underset{1}{6}}=\frac{23}{10}=2.3$$

÷6을 $×\frac{1}{6}$로 계산해.

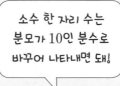
소수 한 자리 수는 분모가 10인 분수로 바꾸어 나타내면 돼!

🐙 계산을 하여 몫을 소수로 나타내려고 합니다. ☐ 안에 알맞은 수를 써넣으세요.

1 $4.2÷3=\frac{42}{10}×\frac{1}{\boxed{3}}=\frac{\boxed{14}}{10}=\boxed{1.4}$

2 $16.5÷5=\frac{165}{10}×\frac{1}{\boxed{}}=\frac{\boxed{}}{10}=\boxed{}$

3 $22.4÷8=\frac{224}{10}×\frac{1}{\boxed{}}=\frac{\boxed{}}{10}=\boxed{}$

4 $43.5÷15=\frac{435}{10}×\frac{1}{\boxed{}}=\frac{\boxed{}}{10}=\boxed{}$

🐙 계산을 하세요.

5
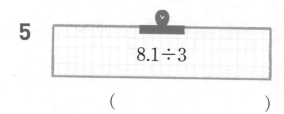
$8.1 \div 3$

(　　　　　　　　　)

6
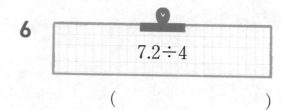
$7.2 \div 4$

(　　　　　　　　　)

7
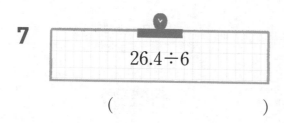
$26.4 \div 6$

(　　　　　　　　　)

8
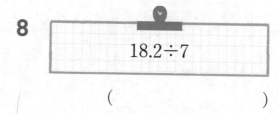
$18.2 \div 7$

(　　　　　　　　　)

9
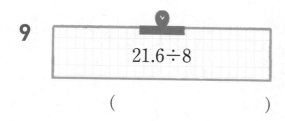
$21.6 \div 8$

(　　　　　　　　　)

10
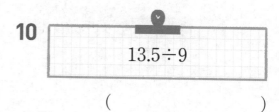
$13.5 \div 9$

(　　　　　　　　　)

11
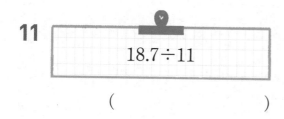
$18.7 \div 11$

(　　　　　　　　　)

12
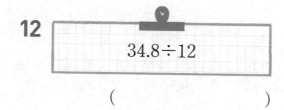
$34.8 \div 12$

(　　　　　　　　　)

13
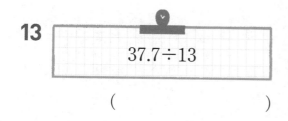
$37.7 \div 13$

(　　　　　　　　　)

14
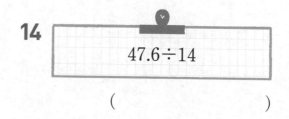
$47.6 \div 14$

(　　　　　　　　　)

15
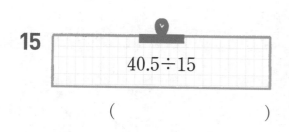
$40.5 \div 15$

(　　　　　　　　　)

16
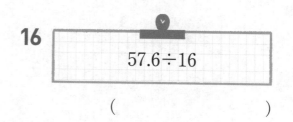
$57.6 \div 16$

(　　　　　　　　　)

🎯 **2단계** 소수의 나눗셈

3. 각 자리에서 나누어떨어지지 않는 (소수)÷(자연수)

예 14.56÷4의 계산

```
        3.6 4
   4 ) 1 4.5 6
       1 2
         2 5
         2 4
           1 6
           1 6
              0
```

나머지가 0이 될 때까지 계산해.

자연수의 나눗셈과
같은 방법으로 계산하자!

🐙 계산을 하세요.

1
```
        4.7 3
   2 ) 9.4 6
       8
       1 4
       1 4
            6
            6
            0
```

2
```
   4 ) 8.9 2
```

3
```
   3 ) 8.9 4
```

🐙 계산을 하세요.

4
$$2 \overline{)7.3\,6}$$

5
$$3 \overline{)8.5\,2}$$

6
$$4 \overline{)7.1\,2}$$

7
$$3 \overline{)1\,4.0\,4}$$

8
$$4 \overline{)2\,5.9\,6}$$

9
$$5 \overline{)3\,7.4\,5}$$

10
$$6 \overline{)2\,2.7\,4}$$

11
$$7 \overline{)3\,4.0\,9}$$

12
$$8 \overline{)4\,7.8\,4}$$

13
$$6 \overline{)2\,7.4\,8}$$

14
$$8 \overline{)1\,8.7\,2}$$

15
$$9 \overline{)3\,5.4\,6}$$

◎ 2단계 소수의 나눗셈

3. 각 자리에서 나누어떨어지지 않는 (소수)÷(자연수)

예 14.56÷4를 분수의 나눗셈으로 바꾸어 계산하기

$$14.56÷4=\frac{1456}{100}×\frac{1}{4}=\frac{364}{100}=3.64$$

÷4를 ×$\frac{1}{4}$로 계산해.

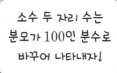

소수 두 자리 수는 분모가 100인 분수로 바꾸어 나타내자!

🐙 계산을 하여 몫을 소수로 나타내려고 합니다. ☐ 안에 알맞은 수를 써넣으세요.

1 $7.34÷2=\frac{734}{100}×\frac{1}{\boxed{2}}=\frac{\boxed{367}}{100}=\boxed{3.67}$

2 $13.68÷3=\frac{1368}{100}×\frac{1}{\boxed{}}=\frac{\boxed{}}{100}=\boxed{}$

3 $44.04÷6=\frac{4404}{100}×\frac{1}{\boxed{}}=\frac{\boxed{}}{100}=\boxed{}$

4 $56.96÷16=\frac{5696}{100}×\frac{1}{\boxed{}}=\frac{\boxed{}}{100}=\boxed{}$

🐙 계산을 하세요.

5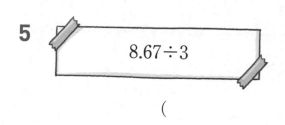
$8.67 \div 3$

(　　　　　　)

6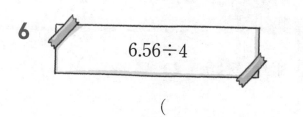
$6.56 \div 4$

(　　　　　　)

7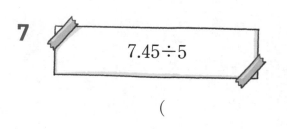
$7.45 \div 5$

(　　　　　　)

8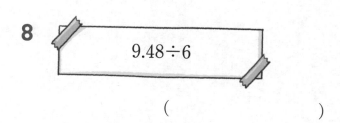
$9.48 \div 6$

(　　　　　　)

9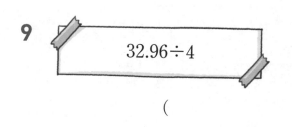
$32.96 \div 4$

(　　　　　　)

10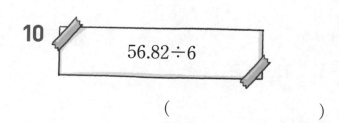
$56.82 \div 6$

(　　　　　　)

11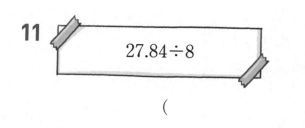
$27.84 \div 8$

(　　　　　　)

12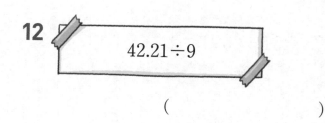
$42.21 \div 9$

(　　　　　　)

13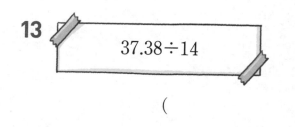
$37.38 \div 14$

(　　　　　　)

14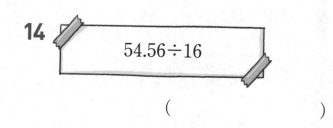
$54.56 \div 16$

(　　　　　　)

15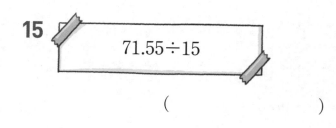
$71.55 \div 15$

(　　　　　　)

16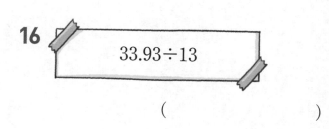
$33.93 \div 13$

(　　　　　　)

◎ 2단계 소수의 나눗셈

3. 각 자리에서 나누어떨어지지 않는 (소수)÷(자연수)

🐙 계산을 하세요.

1 5.4÷2

2 7.5÷3

3 17.6÷4

4 35.4÷6

5 15.4÷7

6 57.6÷8

7 45.5÷13

8 61.5÷15

9 9.72÷3

10 9.88÷4

11 56.76÷6

12 33.32÷7

13 14.74÷11

14 58.68÷12

🐙 계산을 하세요.

15

4.5 ÷3

16

12.5 ÷5

17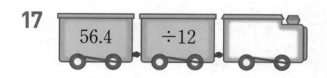

56.4 ÷12

18

94.4 ÷16

19

7.23 ÷3

20

8.35 ÷5

21

43.68 ÷7

22

52.98 ÷6

23

29.48 ÷11

24

48.58 ÷14

💡 **생활 속 연산**

털모자를 만들어 기부하는 신생아 살리기 캠페인에 참여하기 위해 은주는 털실 50.46 m를 샀습니다. 이 털실을 전부 사용하여 털모자 6개를 만들었을 때, 털모자 한 개를 만드는 데 사용한 털실의 길이는 몇 m인지 구하세요.

(   )

4. 몫이 1보다 작은 소수인 (소수)÷(자연수)

예 3.2÷8의 계산

방법 1

$$
\begin{array}{r}
0.4 \\
8\overline{)3.2} \\
3\,2 \\
\hline
0
\end{array}
$$

3을 8로 나눌 수 없으므로 몫의 일의 자리에 0을 써.

방법 2

$$3.2 \div 8 = \frac{32}{10} \div 8 = \frac{32 \div 8}{10}$$

$$= \frac{4}{10} = 0.4$$

🐙 계산을 하세요.

1

$$
\begin{array}{r}
0.6 \\
2\overline{)1.2} \\
1\,2 \\
\hline
0
\end{array}
$$

2

$$3\overline{)2.7}$$

3

$$4\overline{)3.2}$$

4

$$5\overline{)2.5}$$

5

$$6\overline{)4.2}$$

6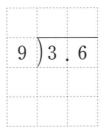

$$7\overline{)5.6}$$

7

$$6\overline{)4.8}$$

8

$$8\overline{)6.4}$$

9

$$9\overline{)3.6}$$

🐙 소수를 자연수로 나눈 몫을 구하세요.

10
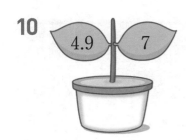

11

12
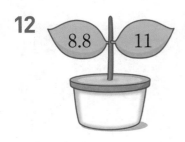

13

14

15

16

17

18

19

🎯 2단계 소수의 나눗셈

4. 몫이 1보다 작은 소수인 (소수)÷(자연수)

예 0.45÷3의 계산

방법 1

```
      0. 1 5
  3 ) 0. 4 5
      3
      1 5
      1 5
          0
```

방법 2

$$0.45 \div 3 = \frac{45}{100} \div 3$$

$$= \frac{45 \div 3}{100}$$

$$= \frac{15}{100} = 0.15$$

소수 두 자리 수는
분자가 100인 분수로
바꾸어 나타내면 돼!

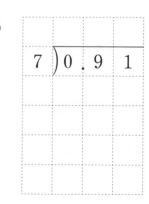

🐙 계산을 하세요.

1
```
      0 . 2 6
  2 ) 0 . 5 2
          4
        1 2
        1 2
            0
```

2
```
  3 ) 0 . 8 1
```

3
```
  4 ) 0 . 9 2
```

4
```
  5 ) 0 . 9 5
```

5
```
  6 ) 0 . 7 2
```

6
```
  7 ) 0 . 9 1
```

🐙 계산을 하세요.

7

$$0.32 \div 2$$

(　　　　　　　)

8

$$0.58 \div 2$$

(　　　　　　　)

9

$$0.72 \div 2$$

(　　　　　　　)

10

$$0.85 \div 5$$

(　　　　　　　)

11

$$0.48 \div 3$$

(　　　　　　　)

12

$$0.54 \div 3$$

(　　　　　　　)

13

$$0.75 \div 3$$

(　　　　　　　)

14

$$0.84 \div 3$$

(　　　　　　　)

15

$$0.52 \div 4$$

(　　　　　　　)

16

$$0.96 \div 4$$

(　　　　　　　)

17

$$0.65 \div 5$$

(　　　　　　　)

18

$$0.84 \div 6$$

(　　　　　　　)

🎯 2단계 소수의 나눗셈

4. 몫이 1보다 작은 소수인 (소수)÷(자연수)

예 1.36÷2의 계산

방법 1

```
      0.6 8
  2 ) 1.3 6
      1 2
      ───
        1 6
        1 6
      ─────
          0
```

방법 2

$$1.36 \div 2 = \frac{136}{100} \div 2 = \frac{136 \div 2}{100}$$

$$= \frac{68}{100} = 0.68$$

🐙 계산을 하세요.

1

```
      0.3 8
  3 ) 1.1 4
      9
      ───
        2 4
        2 4
      ─────
          0
```

2

```
  4 ) 3.3 6
```

3

```
  5 ) 2.3 5
```

4

```
  6 ) 2.1 6
```

5

```
  7 ) 1.8 9
```

6

```
  8 ) 5.8 4
```

🐙 계산을 하세요.

7 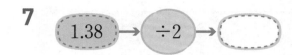 1.38 → ÷2 → ⬭

8 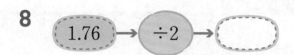 1.76 → ÷2 → ⬭

9 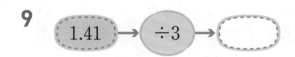 1.41 → ÷3 → ⬭

10  2.34 → ÷3 → ⬭

11 5.52 → ÷12 → ⬭

12 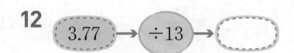 3.77 → ÷13 → ⬭

13 5.61 → ÷11 → ⬭

14 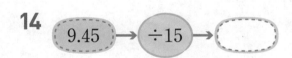 9.45 → ÷15 → ⬭

15 8.32 → ÷13 → ⬭

16 10.29 → ÷21 → ⬭

17 14.63 → ÷19 → ⬭

18 22.25 → ÷25 → ⬭

4. 몫이 1보다 작은 소수인 (소수)÷(자연수)

🐙 계산을 하세요.

1 $2.4 \div 3$

2 $4.2 \div 7$

3 $8.4 \div 12$

4 $9.6 \div 16$

5 $12.6 \div 14$

6 $13.6 \div 17$

7 $0.87 \div 3$

8 $0.72 \div 4$

9 $0.96 \div 8$

10 $0.78 \div 6$

11 $6.58 \div 7$

12 $2.52 \div 6$

13 $10.26 \div 19$

14 $10.56 \div 12$

🐙 오렌지 주스를 똑같이 나누어 주려고 합니다. 한 명에게 몇 L씩 나누어 줄 수 있는지 구하세요.

15 2명에게 똑같이 나누어 주어요.
1.8 L
(   )

16 3명에게 똑같이 나누어 주어요.
1.5 L
(   )

17 12명에게 똑같이 나누어 주어요.
3.6 L
(   )

18 11명에게 똑같이 나누어 주어요.
5.5 L
(   )

19 3명에게 똑같이 나누어 주어요.
0.45 L
(   )

20 5명에게 똑같이 나누어 주어요.
0.95 L
(   )

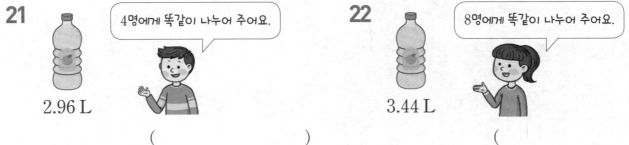

21 4명에게 똑같이 나누어 주어요.
2.96 L
(   )

22 8명에게 똑같이 나누어 주어요.
3.44 L
(   )

◎ 2단계 소수의 나눗셈

5. 소수점 아래 0을 내려 계산하는 (소수)÷(자연수)

예 7.1÷5의 계산

```
      1.4 2
  5 ) 7.1 0
      5
      2 1
      2 0
        1 0
        1 0
          0
```

↳ 나머지가 0이 아니면 나누어지는 수의 오른쪽 끝자리에 0을 내려 계산해.

몫의 소수점은 나누어지는 수의 소수점과 같은 자리에 찍으면 돼!

🐙 계산을 하세요.

1
```
      0.1 5
  4 ) 0.6 0
      4
      2 0
      2 0
        0
```

2
```
  2 ) 0.3
```

3
```
  5 ) 0.6
```

4
```
  2 ) 0.5
```

5
```
  6 ) 0.9
```

6
```
  5 ) 0.7
```

🐙 계산을 하세요.

7　$5 \overline{)\ 2.7}$

8　$4 \overline{)\ 3.8}$

9　$8 \overline{)\ 4.4}$

10　$2 \overline{)\ 5.7}$

11　$4 \overline{)\ 9.4}$

12　$5 \overline{)\ 8.1}$

13　$4 \overline{)\ 8.6}$

14　$5 \overline{)\ 7.3}$

15　$6 \overline{)\ 9.3}$

16　$6 \overline{)\ 7.5}$

17　$6 \overline{)\ 8.7}$

18　$8 \overline{)\ 9.2}$

◎2단계 소수의 나눗셈

5. 소수점 아래 0을 내려 계산하는 (소수)÷(자연수)

예 7.1÷5를 분수의 나눗셈으로 바꾸어 계산하기

$$7.1 \div 5 = \frac{71}{10} \div 5 = \frac{710}{100} \div 5 = \frac{710 \div 5}{100}$$

$$= \frac{142}{100} = 1.42$$

71÷5는 나누어떨어지지 않으니 분모가 100인 분수로 바꾸어 계산해!

🐙 계산을 하여 몫을 소수로 나타내세요.

1 $0.2 \div 5 = \frac{\boxed{2}}{10} \div 5 = \frac{\boxed{20}}{100} \div 5 = \frac{\boxed{20} \div 5}{100} = \frac{\boxed{4}}{100} = \boxed{0.04}$

2 $6.8 \div 8 = \frac{\boxed{}}{10} \div 8 = \frac{\boxed{}}{100} \div 8 = \frac{\boxed{} \div 8}{100} = \frac{\boxed{}}{100} = \boxed{}$

3 $7.8 \div 4 = \frac{\boxed{}}{10} \div 4 = \frac{\boxed{}}{100} \div 4 = \frac{\boxed{} \div 4}{100} = \frac{\boxed{}}{100} = \boxed{}$

4 $6.6 \div 4 = \frac{\boxed{}}{10} \div 4 = \frac{\boxed{}}{100} \div 4 = \frac{\boxed{} \div 4}{100} = \frac{\boxed{}}{100} = \boxed{}$

5 $4.2 \div 12 = \frac{\boxed{}}{10} \div 12 = \frac{\boxed{}}{100} \div 12 = \frac{\boxed{} \div 12}{100} = \frac{\boxed{}}{100} = \boxed{}$

🐙 소수를 자연수로 나눈 몫을 구하세요.

6

0.9 2

7
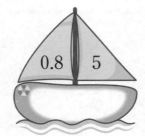
0.8 5

8

1.5 6

9

4.6 5

10

6.3 2

11

9.8 4

12

6.7 5

13

8.1 6

14

7.8 12

15

4.9 14

◎ 2단계 소수의 나눗셈

5. 소수점 아래 0을 내려 계산하는 (소수)÷(자연수)

예 17.7÷5의 계산

```
      3. 5 4
5 ) 1 7. 7 0
    1 5
      2 7
      2 5
        2 0
        2 0
          0
```

나머지가 0이 아니면
나누어지는 수의 오른쪽 끝자리에
0을 내려 계산해.

몫의 소수점은
나누어지는 수의 소수점과
같은 자리에 찍으면 돼!

🐙 계산을 하세요.

1
```
      4. 2 8
5 ) 2 1. 4 0
    2 0
      1 4
      1 0
        4 0
        4 0
          0
```

2
```
6 ) 1 9. 5
```

3
```
8 ) 5 0. 8
```

🐙 **계산을 하세요.**

4
$2\overline{)13.7}$

5
$4\overline{)25.4}$

6
$5\overline{)37.9}$

7
$6\overline{)50.1}$

8
$8\overline{)19.6}$

9
$8\overline{)26.8}$

10
$12\overline{)41.4}$

11
$12\overline{)70.2}$

12
$14\overline{)25.9}$

13
$20\overline{)30.4}$

14
$16\overline{)42.4}$

15
$22\overline{)31.9}$

🎯 2단계 소수의 나눗셈

5. 소수점 아래 0을 내려 계산하는 (소수)÷(자연수)

예 17.7÷5를 분수의 나눗셈으로 바꾸어 계산하기

$$17.7 \div 5 = \frac{177}{10} \div 5 = \frac{1770}{100} \div 5 = \frac{1770 \div 5}{100}$$
$$= \frac{354}{100} = 3.54$$

177÷5는 나누어떨어지지 않으니 분모가 100인 분수로 바꾸어 계산해!

🐙 계산을 하여 몫을 소수로 나타내세요.

1 $17.8 \div 4 = \dfrac{178}{10} \div 4 = \dfrac{1780}{100} \div 4 = \dfrac{1780 \div 4}{100} = \dfrac{445}{100} = 4.45$

2 $21.3 \div 6 = \dfrac{\boxed{}}{10} \div 6 = \dfrac{\boxed{}}{100} \div 6 = \dfrac{\boxed{} \div 6}{100}$

  $= \dfrac{\boxed{}}{100} = \boxed{}$

3 $37.1 \div 5 = \dfrac{\boxed{}}{10} \div 5 = \dfrac{\boxed{}}{100} \div 5 = \dfrac{\boxed{} \div 5}{100}$

  $= \dfrac{\boxed{}}{100} = \boxed{}$

4 $72.1 \div 14 = \dfrac{\boxed{}}{10} \div 14 = \dfrac{\boxed{}}{100} \div 14 = \dfrac{\boxed{} \div 14}{100}$

  $= \dfrac{\boxed{}}{100} = \boxed{}$

🐙 계산을 하세요.

5 $16.7 \div 2$ ◯

6 $13.4 \div 4$ ◯

7 $26.8 \div 5$ ◯

8 $31.5 \div 6$ ◯

9 $41.9 \div 5$ ◯

10 $35.8 \div 5$ ◯

11 $55.2 \div 15$ ◯

12 $47.7 \div 18$ ◯

13 $31.8 \div 12$ ◯

14 $48.3 \div 14$ ◯

15 $79.2 \div 15$ ◯

16 $85.8 \div 12$ ◯

2단계 소수의 나눗셈

5. 소수점 아래 0을 내려 계산하는 (소수)÷(자연수)

🐙 계산을 하세요.

1 $0.3 \div 2$

2 $0.7 \div 5$

3 $5.1 \div 6$

4 $7.6 \div 8$

5 $7.1 \div 2$

6 $8.6 \div 4$

7 $4.2 \div 12$

8 $8.1 \div 15$

9 $16.9 \div 5$

10 $12.1 \div 5$

11 $37.5 \div 6$

12 $20.4 \div 8$

13 $77.7 \div 14$

14 $65.4 \div 15$

🐙 계산 결과를 찾아 선으로 이으세요.

15

0.6÷4

2.6÷5

· 0.15

· 0.45

· 0.52

16

6.8÷8

0.9÷2

· 0.45

· 0.65

· 0.85

17

9.9÷5

6.9÷6

· 1.15

· 1.45

· 1.98

18

4.5÷18

7.8÷12

· 0.25

· 0.65

· 0.85

19

26.8÷8

34.8÷5

· 2.49

· 3.35

· 6.96

20

42.8÷20

50.4÷15

· 3.36

· 2.14

· 1.95

💡 생활 속 연산

윤진이는 다이어리 꾸미기를 하기 위해 마스킹 테이프 7.5 m
를 샀습니다. 마스킹 테이프를 모두 사용해서 다이어리 6쪽
을 꾸몄을 때, 다이어리 한 쪽을 꾸미는 데 사용한 마스킹 테
이프의 길이는 몇 m인지 구하세요.

(   )

◎ 2단계 소수의 나눗셈

6. 몫의 소수 첫째 자리에 0이 있는 (소수)÷(자연수)

예 18.3÷6의 계산

```
      3.0 5
  6 ) 1 8.3 0
      1 8
          3 0
          3 0
              0
```

내림한 수가 작아 나누기를 계속 할 수 없으면 몫에 0을 쓰고 수를 하나 더 내려 계산해.

몫의 소수점은 나누어지는 수의 소수점과 같은 자리에 찍어!

🐙 계산을 하세요.

1
```
      2.0 5
  2 ) 4.1 0
      4
        1 0
        1 0
            0
```

2
```
  5 ) 5.4
```

3
```
  4 ) 4.2
```

4
```
  5 ) 5.1
```

5
```
  2 ) 6.1
```

6
```
  8 ) 8.4
```

🐙 계산을 하세요.

7

$2 \overline{)\ 1\ 2.1}$

8

$4 \overline{)\ 2\ 8.2}$

9

$5 \overline{)\ 2\ 5.4}$

10

$6 \overline{)\ 2\ 4.3}$

11

$5 \overline{)\ 2\ 5.3}$

12

$8 \overline{)\ 4\ 8.4}$

13

$1\ 2 \overline{)\ 4\ 8.6}$

14

$1\ 4 \overline{)\ 2\ 8.7}$

15

$1\ 5 \overline{)\ 3\ 0.6}$

16

$2\ 0 \overline{)\ 8\ 0.6}$

17

$1\ 6 \overline{)\ 6\ 4.8}$

18

$2\ 5 \overline{)\ 7\ 5.5}$

6. 몫의 소수 첫째 자리에 0이 있는 (소수)÷(자연수)

예 18.3÷6을 분수의 나눗셈으로 바꾸어 계산하기

$$18.3÷6=\frac{183}{10}÷6=\frac{1830}{100}÷6=\frac{1830÷6}{100}$$

$$=\frac{305}{100}=3.05$$

183÷6은 나누어떨어지지 않으니 분모가 100인 분수로 바꾸어 계산해!

🐙 계산을 하여 몫을 소수로 나타내세요.

1 $5.2÷5=\dfrac{\boxed{52}}{10}÷5=\dfrac{\boxed{520}}{100}÷5=\dfrac{\boxed{520}÷5}{100}=\dfrac{\boxed{104}}{100}=\boxed{1.04}$

2 $56.4÷8=\dfrac{\boxed{}}{10}÷8=\dfrac{\boxed{}}{100}÷8=\dfrac{\boxed{}÷8}{100}$

$=\dfrac{\boxed{}}{100}=\boxed{}$

3 $32.2÷4=\dfrac{\boxed{}}{10}÷4=\dfrac{\boxed{}}{100}÷4=\dfrac{\boxed{}÷4}{100}$

$=\dfrac{\boxed{}}{100}=\boxed{}$

4 $42.7÷14=\dfrac{\boxed{}}{10}÷14=\dfrac{\boxed{}}{100}÷14=\dfrac{\boxed{}÷14}{100}$

$=\dfrac{\boxed{}}{100}=\boxed{}$

🐙 계산을 하세요.

5
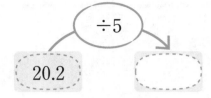

6
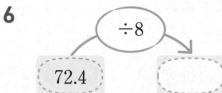

7
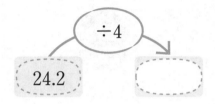

8
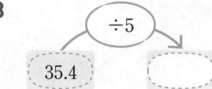

9
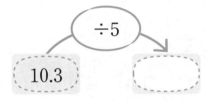

10
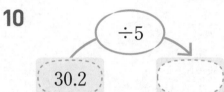

11
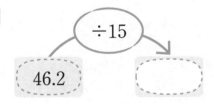

12
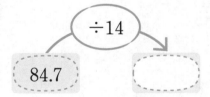

13
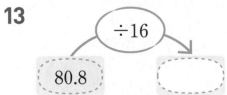

14
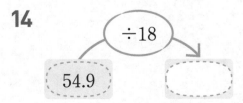

◎2단계 소수의 나눗셈

6. 몫의 소수 첫째 자리에 0이 있는 (소수)÷(자연수)

예 8.16÷4의 계산

```
      2. 0 4
   4 ) 8. 1 6
       8
       1 6
       1 6
          0
```

내림한 수가 작아 나누기를 계속 할 수 없으면 몫에 0을 쓰고 수를 하나 더 내려 계산해.

몫의 소수점은 나누어지는 수의 소수점과 같은 자리에 찍으면 돼!

🐙 계산을 하세요.

1
```
      2. 0 8
   2 ) 4. 1 6
       4
       1 6
       1 6
          0
```

2
```
   2 ) 6. 1 4
```

3
```
   3 ) 9. 1 8
```

4
```
   5 ) 5. 1 5
```

5
```
   6 ) 6. 2 4
```

6
```
   8 ) 8. 4 8
```

🐙 계산을 하세요.

7
$$2\,)\overline{1\,2.1\,6}$$

8
$$3\,)\overline{1\,5.1\,2}$$

9
$$4\,)\overline{1\,2.3\,2}$$

10
$$5\,)\overline{2\,0.3\,5}$$

11
$$6\,)\overline{3\,0.5\,4}$$

12
$$7\,)\overline{3\,5.5\,6}$$

13
$$6\,)\overline{5\,4.1\,8}$$

14
$$7\,)\overline{2\,8.4\,2}$$

15
$$6\,)\overline{4\,2.4\,8}$$

16
$$1\,2\,)\overline{4\,8.3\,6}$$

17
$$1\,3\,)\overline{3\,9.5\,2}$$

18
$$1\,6\,)\overline{3\,2.9\,6}$$

◎ 2단계 소수의 나눗셈

6. 몫의 소수 첫째 자리에 0이 있는 (소수)÷(자연수)

예 8.16÷4를 분수의 나눗셈으로 바꾸어 계산하기

$$8.16 \div 4 = \frac{816}{100} \div 4 = \frac{816 \div 4}{100} = \frac{204}{100} = 2.04$$

🐙 계산을 하여 몫을 소수로 나타내세요.

1 $6.18 \div 3 = \dfrac{\boxed{618}}{100} \div 3 = \dfrac{\boxed{618} \div 3}{100} = \dfrac{\boxed{206}}{100} = \boxed{2.06}$

2 $8.32 \div 4 = \dfrac{\boxed{}}{100} \div 4 = \dfrac{\boxed{} \div 4}{100} = \dfrac{\boxed{}}{100} = \boxed{}$

3 $15.45 \div 5 = \dfrac{\boxed{}}{100} \div 5 = \dfrac{\boxed{} \div 5}{100} = \dfrac{\boxed{}}{100} = \boxed{}$

4 $49.63 \div 7 = \dfrac{\boxed{}}{100} \div 7 = \dfrac{\boxed{} \div 7}{100} = \dfrac{\boxed{}}{100} = \boxed{}$

5 $48.84 \div 12 = \dfrac{\boxed{}}{100} \div 12 = \dfrac{\boxed{} \div 12}{100} = \dfrac{\boxed{}}{100} = \boxed{}$

🐙 계산을 하세요.

6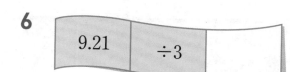

9.21　÷3

7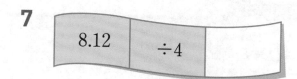

8.12　÷4

8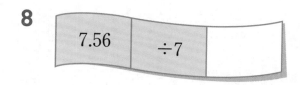

7.56　÷7

9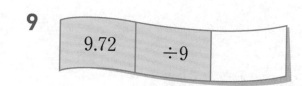

9.72　÷9

10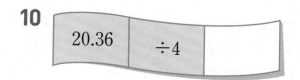

20.36　÷4

11

40.35　÷5

12

49.42　÷7

13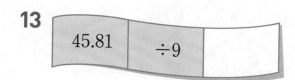

45.81　÷9

14

22.33　÷11

15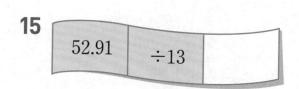

52.91　÷13

16

72.36　÷18

17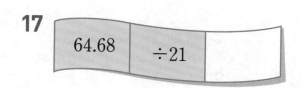

64.68　÷21

2단계 소수의 나눗셈

6. 몫의 소수 첫째 자리에 0이 있는 (소수)÷(자연수)

🐙 계산을 하세요.

1 $5.2 \div 5$

2 $8.1 \div 2$

3 $20.2 \div 4$

4 $48.3 \div 6$

5 $36.6 \div 12$

6 $30.3 \div 15$

7 $4.36 \div 4$

8 $7.56 \div 7$

9 $40.25 \div 5$

10 $36.18 \div 9$

11 $24.24 \div 4$

12 $45.54 \div 9$

13 $37.26 \div 18$

14 $67.76 \div 22$

🐙 직사각형의 한 변의 길이와 넓이가 주어졌을 때 나머지 한 변의 길이를 구하세요.

15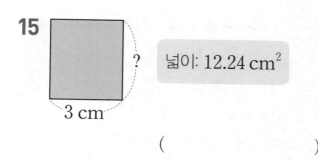

(   )

16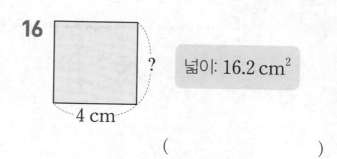

(   )

17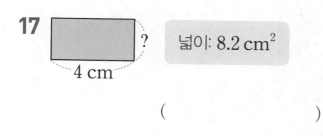

(   )

18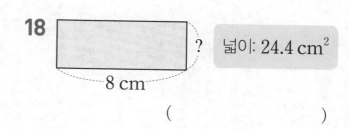

(   )

19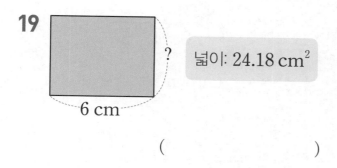

(   )

20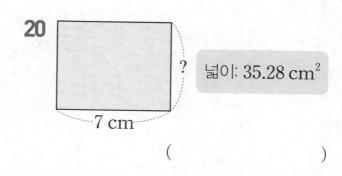

(   )

21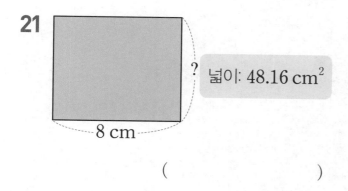

(   )

22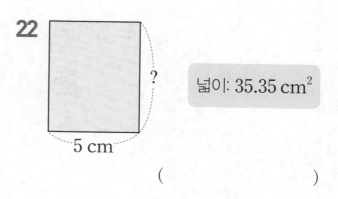

(   )

7. (자연수)÷(자연수)

예 6÷5의 계산

```
      1.2
 5 )6.0
    5
    1 0
    1 0
      0
```

소수점 아래 0이 계속 있는 것으로 생각하고 0을 내려 계산해.

나머지가 0이 될 때까지 계속 나누어야 해!

🐙 계산을 하세요.

1
```
     1.5
 2 )3.0
    2
    1 0
    1 0
      0
```

2
```
 5 )8
```

3
```
 2 )1 5
```

4

```
 5 )3
```

5

```
 5 )2
```

6
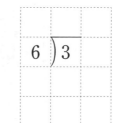
```
 6 )3
```

🐙 계산을 하세요.

7
$$2 \overline{)11}$$

8
$$6 \overline{)21}$$

9
$$8 \overline{)12}$$

10
$$4 \overline{)25}$$

11
$$8 \overline{)18}$$

12
$$8 \overline{)22}$$

13
$$12 \overline{)9}$$

14
$$16 \overline{)4}$$

15
$$25 \overline{)8}$$

16
$$24 \overline{)18}$$

17
$$20 \overline{)11}$$

18
$$25 \overline{)21}$$

◎ 2단계 소수의 나눗셈

7. (자연수)÷(자연수)

예 6÷5의 몫을 분수로 나타낸 후 소수로 구하기

$$6 \div 5 = \frac{6}{5} = \frac{12}{10} = 1.2$$

🐙 계산을 하여 몫을 소수로 나타내세요.

몫을 소수로 나타내려면 분모가 10, 100, 1000……인 분수로 나타내면 돼!

1 $9 \div 2 = \dfrac{9}{2} = \dfrac{45}{10} = 4.5$

2 $3 \div 4 = \dfrac{\boxed{}}{4} = \dfrac{\boxed{}}{100} = \boxed{}$

3 $30 \div 8 = \dfrac{\boxed{}}{8} = \dfrac{\boxed{}}{4} = \dfrac{\boxed{}}{100} = \boxed{}$

4 $42 \div 15 = \dfrac{\boxed{}}{15} = \dfrac{\boxed{}}{5} = \dfrac{\boxed{}}{10} = \boxed{}$

5 $27 \div 12 = \dfrac{\boxed{}}{12} = \dfrac{\boxed{}}{4} = \dfrac{\boxed{}}{100} = \boxed{}$

🐙 계산을 하세요.

6
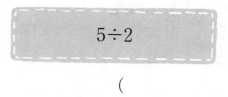
$$5 \div 2$$
(   )

7
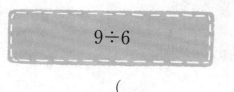
$$9 \div 6$$
(   )

8
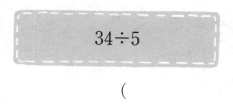
$$34 \div 5$$
(   )

9
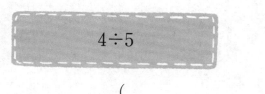
$$4 \div 5$$
(   )

10
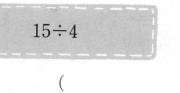
$$15 \div 4$$
(   )

11
$$15 \div 12$$
(   )

12
$$29 \div 20$$
(   )

13
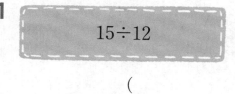
$$9 \div 12$$
(   )

14
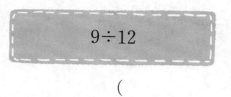
$$9 \div 20$$
(   )

15
$$22 \div 40$$
(   )

16
$$14 \div 25$$
(   )

17
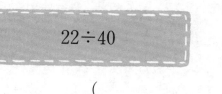
$$18 \div 24$$
(   )

2단계 소수의 나눗셈

7. (자연수)÷(자연수)

🐙 계산을 하세요.

1 $7 \div 2$

2 $8 \div 5$

3 $42 \div 5$

4 $24 \div 15$

5 $18 \div 10$

6 $16 \div 5$

7 $36 \div 15$

8 $18 \div 5$

9 $15 \div 12$

10 $25 \div 20$

11 $28 \div 16$

12 $21 \div 12$

13 $27 \div 25$

14 $21 \div 20$

🐙 계산을 하세요.

15

16

17

18

19

20

21

22

💡 생활 속 연산

민준이는 아빠와 민속촌에서 제기차기를 했습니다. 민준이는 제기를 6개 찼고, 아빠는 제기를 15개 찼습니다. 민준이가 찬 제기의 수는 아빠가 찬 제기의 수의 몇 배인지 소수로 나타내세요.

(   )

⊙ 2단계 소수의 나눗셈

마무리 연산

 계산을 하세요.

1

$3\overline{)9.6\ 6}$

2

$2\overline{)8.6\ 4}$

3

$2\overline{)6.8\ 4}$

4

$4\overline{)2\ 3.2}$

5

$6\overline{)3\ 4.8}$

6

$9\overline{)8\ 8.2}$

7

$3\overline{)8.3\ 4}$

8

$7\overline{)8.6\ 8}$

9

$4\overline{)9.3\ 6}$

10

$8\overline{)7.2}$

11

$4\overline{)3.2}$

12

$9\overline{)5.4}$

13

$3\overline{)0.7\ 8}$

14

$4\overline{)0.6\ 8}$

15

$8\overline{)0.9\ 6}$

🐙 계산을 하세요.

16 $48.4 \div 4$

17 $90.9 \div 9$

18 $6.39 \div 3$

19 $48.84 \div 4$

20 $7.8 \div 3$

21 $16.8 \div 7$

22 $30.64 \div 8$

23 $44.16 \div 6$

24 $4.8 \div 8$

25 $11.2 \div 16$

26 $3.84 \div 8$

27 $5.18 \div 7$

28 $9.9 \div 18$

29 $10.35 \div 15$

2단계 소수의 나눗셈

마무리 연산

🐙 계산을 하세요.

1 $4 \overline{)\, 5.4}$

2 $2 \overline{)\, 9.1}$

3 $6 \overline{)\, 7.5}$

4 $1\,4 \overline{)\, 4\;4.1}$

5 $1\,6 \overline{)\, 3\;4.4}$

6 $1\,2 \overline{)\, 5\;4.6}$

7 $8 \overline{)\, 8.4}$

8 $5 \overline{)\, 5.3}$

9 $4 \overline{)\, 1\;2.2}$

10 $9 \overline{)\, 1\;8.7\;2}$

11 $1\,1 \overline{)\, 3\;3.7\;7}$

12 $1\,5 \overline{)\, 6\;1.3\;5}$

13 $5 \overline{)\, 9}$

14 $6 \overline{)\, 3\;9}$

15 $2\,5 \overline{)\, 2}$

🐙 계산을 하세요.

16 $6.9 \div 6$

17 $34.8 \div 8$

18 $61.6 \div 16$

19 $32.1 \div 6$

20 $36.2 \div 4$

21 $75.9 \div 15$

22 $9.54 \div 9$

23 $42.49 \div 7$

24 $36 \div 8$

25 $12 \div 20$

26 $20 \div 16$

27 $21 \div 28$

28 $42 \div 25$

29 $18 \div 40$

3

비와 비율

문제를 잘 읽고 요구하는
답이 무엇인지 꼼꼼히
살펴보자!

학습 결과와 시간을 써 보세요!

학습 내용	학습 회차	맞힌 개수/걸린 시간
1. 비	DAY 01	/
	DAY 02	/
	DAY 03	/
2. 비율	DAY 04	/
	DAY 05	/
	DAY 06	/
	DAY 07	/
	DAY 08	/
3. 백분율	DAY 09	/
	DAY 10	/
	DAY 11	/
	DAY 12	/
	DAY 13	/
마무리 연산	DAY 14	/
	DAY 15	/

기초력 상승!

하나 둘! 하나 둘!

3단계 비와 비율

1. 비

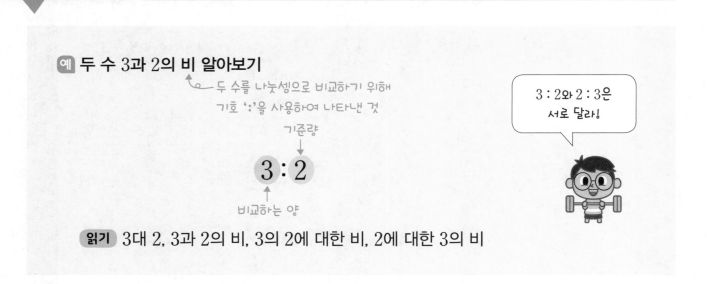

예 **두 수 3과 2의 비 알아보기**

두 수를 나눗셈으로 비교하기 위해
기호 ':'을 사용하여 나타낸 것

기준량

3 : 2

비교하는 양

3 : 2와 2 : 3은
서로 달라!

읽기 3대 2, 3과 2의 비, 3의 2에 대한 비, 2에 대한 3의 비

🐙 비를 보고 비교하는 양과 기준량을 구하세요.

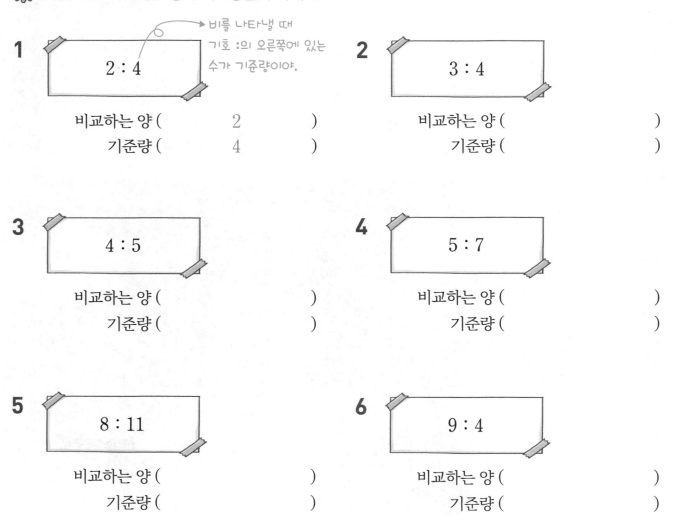

1

비를 나타낼 때
기호 :의 오른쪽에 있는
수가 기준량이야.

2 : 4

비교하는 양 (2   )
기준량 (4   )

2

3 : 4

비교하는 양 (   )
기준량 (   )

3

4 : 5

비교하는 양 (   )
기준량 (   )

4

5 : 7

비교하는 양 (   )
기준량 (   )

5

8 : 11

비교하는 양 (   )
기준량 (   )

6

9 : 4

비교하는 양 (   )
기준량 (   )

비를 여러 가지 방법으로 읽으려고 합니다. ☐ 안에 알맞은 수를 써넣으세요.

7   2 : 3

☐ 대 ☐
☐ 와/과 ☐ 의 비
☐ 의 ☐ 에 대한 비
☐ 에 대한 ☐ 의 비

8   5 : 6

☐ 대 ☐
☐ 와/과 ☐ 의 비
☐ 의 ☐ 에 대한 비
☐ 에 대한 ☐ 의 비

9   3 : 8

☐ 대 ☐
☐ 와/과 ☐ 의 비
☐ 의 ☐ 에 대한 비
☐ 에 대한 ☐ 의 비

10   7 : 10

☐ 대 ☐
☐ 와/과 ☐ 의 비
☐ 의 ☐ 에 대한 비
☐ 에 대한 ☐ 의 비

11   9 : 7

☐ 대 ☐
☐ 와/과 ☐ 의 비
☐ 의 ☐ 에 대한 비
☐ 에 대한 ☐ 의 비

12   12 : 11

☐ 대 ☐
☐ 와/과 ☐ 의 비
☐ 의 ☐ 에 대한 비
☐ 에 대한 ☐ 의 비

🎯 3단계 비와 비율

1. 비

🐙 그림을 보고 ☐ 안에 알맞은 수를 써넣으세요.

1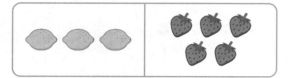

레몬 수와 딸기 수의 비

➡ ☐ : ☐

2

파인애플 수와 바나나 수의 비

➡ ☐ : ☐

3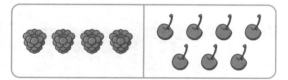

산딸기 수의 체리 수에 대한 비

➡ ☐ : ☐

4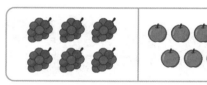

사과 수의 포도 수에 대한 비

➡ ☐ : ☐

5

배 수에 대한 멜론 수의 비

➡ ☐ : ☐

6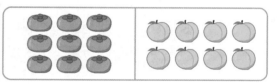

감 수에 대한 복숭아 수의 비

➡ ☐ : ☐

7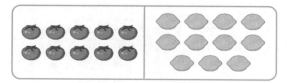

레몬 수의 토마토 수에 대한 비

➡ ☐ : ☐

8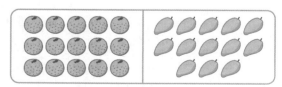

오렌지 수에 대한 망고 수의 비

➡ ☐ : ☐

🐙 각 친구가 가지고 있는 액자를 보고 ☐ 안에 알맞은 수를 써넣으세요.

9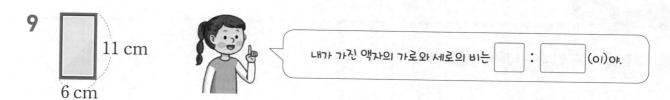

11 cm
6 cm

내가 가진 액자의 가로와 세로의 비는 ☐ : ☐ (이)야.

10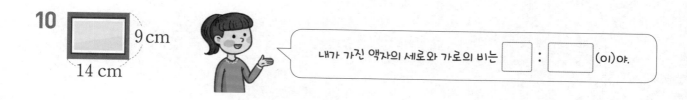

9 cm
14 cm

내가 가진 액자의 세로와 가로의 비는 ☐ : ☐ (이)야.

11

19 cm
15 cm

내가 가진 액자의 가로에 대한 세로의 비는 ☐ : ☐ (이)야.

12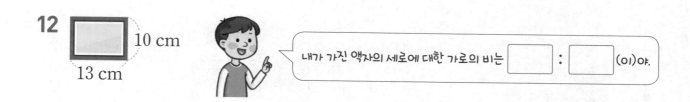

10 cm
13 cm

내가 가진 액자의 세로에 대한 가로의 비는 ☐ : ☐ (이)야.

13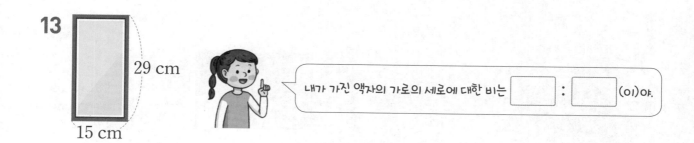

29 cm
15 cm

내가 가진 액자의 가로의 세로에 대한 비는 ☐ : ☐ (이)야.

1. 비

🐙 그림을 보고 전체에 대한 색칠한 부분의 비를 쓰세요.

1
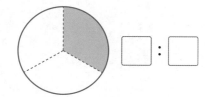
☐ : ☐

2
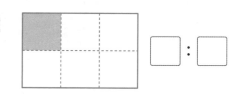
☐ : ☐

3
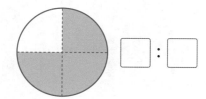
☐ : ☐

4

☐ : ☐

5
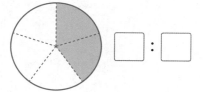
☐ : ☐

6
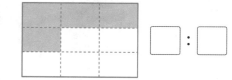
☐ : ☐

7
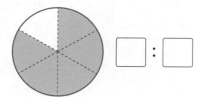
☐ : ☐

8
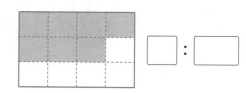
☐ : ☐

9
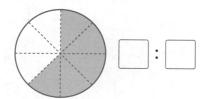
☐ : ☐

10
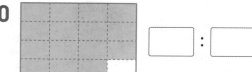
☐ : ☐

🐙 전체에 대한 색칠한 부분의 비가 주어진 비가 되도록 색칠하세요.

11 $1:4$

12 $7:8$

13 $3:5$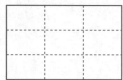

14 $8:9$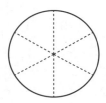

15 $2:6$

16 $11:12$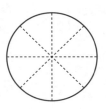

17 $3:8$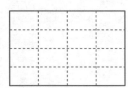

18 $9:16$

💡 생활 속 연산

한 동영상 크리에이터가 동영상을 올렸습니다. 이 동영상에서 '좋아요'의 수는 1200개, '싫어요'의 수는 67개라고 할 때, 좋아요 수와 싫어요 수의 비를 구하세요.

(　　　　　　　　　) 👍 1200 　👎 67

🎯 3단계 비와 비율

2. 비율

● 직사각형의 가로에 대한 세로의 비율을 분수로 나타내기

예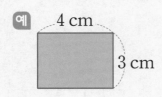

비 3 : 4 ← 비교하는 양
         └ 기준량

비율 $\dfrac{3}{4}$ ← 비교하는 양
        ← 기준량

기준량에 대한 비교하는 양의 크기를 비율이라고 해!
(비율)＝(비교하는 양)÷(기준량)
＝ $\dfrac{(비교하는 양)}{(기준량)}$

🐙 직사각형의 가로에 대한 세로의 비율을 분수로 나타내려고 합니다. ☐ 안에 알맞은 수를 써넣으세요.
  기준량   비교하는 양

1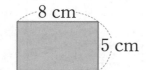

비 $\boxed{5}$: 8

비율 $\dfrac{\boxed{5}}{8}$

2

15 cm

7 cm

비 ☐ : 15

비율 $\dfrac{☐}{15}$

3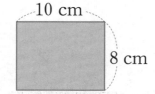

비 8 : ☐

비율 $\dfrac{☐}{☐} = \dfrac{☐}{5}$

4

18 cm

9 cm

비 9 : ☐

비율 $\dfrac{☐}{☐} = \dfrac{☐}{2}$

🐙 비율을 분수로 나타내세요.

5

4 : 7

(   )

6

8 : 25

(   )

7

5 대 9

(   )

8

7 대 11

(   )

9

13과 18의 비

(   )

10

21과 32의 비

(   )

11

3의 5에 대한 비

(   )

12

8의 13에 대한 비

(   )

13

10의 15에 대한 비

(   )

14

16의 24에 대한 비

(   )

15

7에 대한 4의 비

(   )

16

20에 대한 9의 비

(   )

🎯 3단계 비와 비율

2. 비율

● 직사각형의 세로에 대한 가로의 비율을 소수로 나타내기

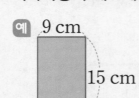

비 9 : 15

비율 $\dfrac{9}{15}=\dfrac{3}{5}=\dfrac{6}{10}=0.6$

비를 분수로 바꾼 다음 소수로 바꾸면 편리해!

🐙 직사각형의 세로에 대한 가로의 비율을 소수로 나타내려고 합니다. ☐ 안에 알맞은 수를 써넣으세요.

1

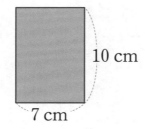

10 cm

7 cm

비 $\boxed{7}$: 10

비율 $\dfrac{\boxed{7}}{10}=\boxed{0.7}$

2

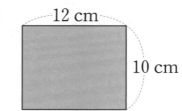

12 cm

10 cm

비 12 : ☐

비율 $\dfrac{12}{\boxed{}}=\boxed{}$

3

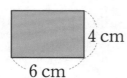

4 cm

6 cm

비 ☐ : 4

비율 $\dfrac{\boxed{}}{4}=\dfrac{\boxed{}}{2}=\dfrac{\boxed{}}{10}$

$=\boxed{}$

4

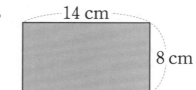

14 cm

8 cm

비 14 : ☐

비율 $\dfrac{14}{\boxed{}}=\dfrac{7}{\boxed{}}=\dfrac{\boxed{}}{100}$

$=\boxed{}$

🐙 비율을 소수로 나타내세요.

5

2 : 5

(   )

6

5 : 20

(   )

7

3 대 10

(   )

8

4 대 5

(   )

9

5와 25의 비

(   )

10

24와 20의 비

(   )

11

2의 4에 대한 비

(   )

12

12의 15에 대한 비

(   )

13

10의 8에 대한 비

(   )

14

24의 16에 대한 비

(   )

15

20에 대한 6의 비

(   )

16

4에 대한 9의 비

(   )

3단계 비와 비율

2. 비율

> **예** 비율이 0.4, 기준량이 5일 때 비교하는 양 구하기
>
> $$(비교하는\ 양)=(기준량)\times(비율)=5\times\overset{비율}{\underset{기준량}{0.4}}=2$$
>
> **예** 비율이 $\frac{1}{3}$, 비교하는 양이 3일 때 기준량 구하기
>
> $$(비율)=\frac{(비교하는\ 양)}{(기준량)} \Rightarrow \frac{1}{3}=\frac{3}{(기준량)} \Rightarrow (기준량)=9$$
> $\times 3$

🐙 비율과 기준량이 다음과 같을 때 비교하는 양을 구하세요.

1 비율: $\frac{1}{3}$, 기준량: 15 ➡ $\boxed{5}$

(비교하는 양)=(기준량)×(비율)=$15\times\frac{1}{3}=5$

2 비율: $\frac{3}{4}$, 기준량: 32 ➡ $\boxed{}$

3 비율: 0.8, 기준량: 10 ➡ $\boxed{}$

4 비율: 0.25, 기준량: 4 ➡ $\boxed{}$

🐙 비율과 비교하는 양이 다음과 같을 때 기준량을 구하세요.

5 비율: $\frac{3}{5}$, 비교하는 양: 6 ➡ $\boxed{10}$

(비율)=$\frac{(비교하는\ 양)}{(기준량)}$ ➡ $\frac{3}{5}=\frac{6}{(기준량)}$ ➡ (기준량)=10

6 비율: $\frac{2}{3}$, 비교하는 양: 6 ➡ $\boxed{}$

7 비율: 0.4, 비교하는 양: 2 ➡ $\boxed{}$

8 비율: 0.6, 비교하는 양: 3 ➡ $\boxed{}$

🐙 🔷🔷 은행에서 새로 나온 카드에는 다음과 같은 적립 혜택이 있습니다. 각각 얼마를 적립 받았는지 구하세요.

사용처 → 기준량	적립 → 비율
카페	음료 가격의 0.05
쇼핑몰	구매 가격의 0.02
대중교통	교통비의 0.03

9
나는 카페에서 초코 라테를 5000원에 사 마셨어.

적립금: $5000 \times 0.05 =$ ☐ (원)

10
나는 카페에서 딸기 스무디를 6500원에 사 마셨어.

적립금: $6500 \times 0.05 =$ ☐ (원)

11
나는 쇼핑몰에서 화장품을 12000원에 구매했어.

적립금: ＿＿＿＿＿＿＿＿ (원)

12
나는 쇼핑몰에서 20000원짜리 옷을 구매했어.

적립금: ＿＿＿＿＿＿＿＿ (원)

13
나는 교통비로 지하철 요금이 40000원 나왔어.

적립금: ＿＿＿＿＿＿＿＿ (원)

14
나는 교통비로 고속 열차 요금이 45000원 나왔어.

적립금: ＿＿＿＿＿＿＿＿ (원)

🎯3단계 비와 비율

2. 비율

예 300 km를 가는 데 5시간이 걸렸을 때 걸린 시간에 대한 간 거리의 비율 구하기

➡ $(비율) = \dfrac{(간\ 거리)}{(걸린\ 시간)} = \dfrac{300}{5} = 60$

🐙 걸린 시간에 대한 간 거리의 비율을 구하여 자연수로 나타내세요.

1

간 거리	걸린 시간
500 km	2시간

(250   )

2

간 거리	걸린 시간
690 km	3시간

(   )

3

간 거리	걸린 시간
560 km	4시간

(   )

4

간 거리	걸린 시간
840 km	12시간

(   )

5

간 거리	걸린 시간
900 km	15시간

(   )

6

간 거리	걸린 시간
1280 km	16시간

(   )

🐙 다음은 인천에서 각 도시까지 A항공사의 비행기를 탔을 때 걸리는 시간과 거리를 나타낸 지도입니다. 지도를 보고 걸리는 시간에 대한 거리의 비율을 구하여 자연수로 나타내세요.

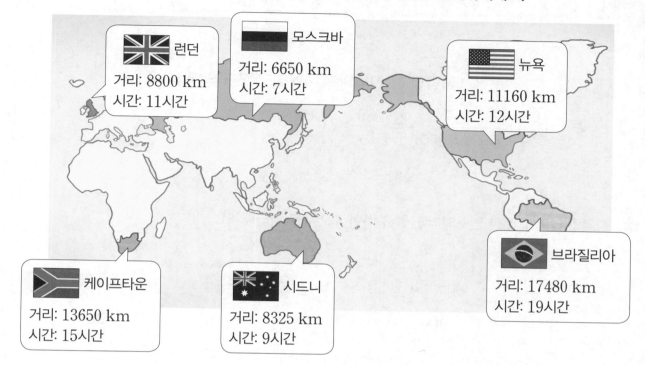

7 🇬🇧 런던

➡ (   )

8 🇷🇺 모스크바

➡ (   )

9 🇺🇸 뉴욕

➡ (   )

10 🇿🇦 케이프타운

➡ (   )

11 🇦🇺 시드니

➡ (   )

12 🇧🇷 브라질리아

➡ (   )

2. 비율

예 5 km²에 인구가 250명일 때 지역의 넓이에 대한 인구의 비율 구하기

➜ (비율) $= \dfrac{(인구)}{(지역의\ 넓이)} = \dfrac{250}{5} = 50$

🐙 지역의 넓이에 대한 인구의 비율을 구하여 자연수로 나타내세요.

1

넓이(km²)	인구(명)
30	900

(30   )

2

넓이(km²)	인구(명)
40	800

(   )

3

넓이(km²)	인구(명)
18	2160

(   )

4

넓이(km²)	인구(명)
35	5950

(   )

5

넓이(km²)	인구(명)
140	11200

(   )

6

넓이(km²)	인구(명)
270	24300

(   )

🐙 각 친구들이 사는 마을의 넓이에 대한 인구의 비율을 구하여 자연수로 나타내세요.

7

우리 마을의 인구는 9600명이고 넓이는 60 km²야.

(   )

8

우리 마을의 인구는 3400명이고 넓이는 17 km²야.

(   )

9

우리 마을의 인구는 2900명이고 넓이는 10 km²야.

(   )

10

우리 마을의 인구는 2400명이고 넓이는 30 km²야.

(   )

11

우리 마을의 인구는 14000명이고 넓이는 56 km²야.

(   )

12

우리 마을의 인구는 5520명이고 넓이는 40 km²야.

(   )

13

우리 마을의 인구는 3500명이고 넓이는 70 km²야.

(   )

14

우리 마을의 인구는 1000명이고 넓이는 8 km²야.

(   )

3단계 비와 비율

3. 백분율

예 $\frac{13}{20}$을 **백분율로 나타내기**
기준량을 100으로 할 때의 비율

$\frac{13}{20} \times 100 = 65$ ➜ 65 %

예 0.65를 **백분율로 나타내기**

$0.65 \times 100 = 65$ ➜ 65 %

백분율은 비율에 100을 곱해서 나온 값에 % 기호를 붙여서 나타내.

🐙 비율을 백분율로 나타내세요.

1 $\frac{3}{4}$ ➜ (75 %)

2 $\frac{2}{5}$ ➜ ( )

3 $\frac{3}{10}$ ➜ ( )

4 $\frac{9}{10}$ ➜ ( )

5 $\frac{11}{20}$ ➜ ( )

6 $\frac{17}{25}$ ➜ ( )

7 $\frac{27}{50}$ ➜ ( )

8 $\frac{43}{50}$ ➜ ( )

🐙 비율을 백분율로 나타내세요.

9 　0.4　➡ (　　　　　　　　)

10 　0.8　➡ (　　　　　　　　)

11 　0.07　➡ (　　　　　　　　)

12 　0.09　➡ (　　　　　　　　)

13 　0.18　➡ (　　　　　　　　)

14 　0.27　➡ (　　　　　　　　)

15 　0.59　➡ (　　　　　　　　)

16 　0.67　➡ (　　　　　　　　)

17 　0.6　➡ (　　　　　　　　)

18 　0.08　➡ (　　　　　　　　)

19 　0.139　➡ (　　　　　　　　)

20 　0.215　➡ (　　　　　　　　)

21 　0.568　➡ (　　　　　　　　)

22 　0.725　➡ (　　　　　　　　)

◎ 3단계 비와 비율

3. 백분율

● 백분율을 분수로 나타내기

$$65\,\% \rightarrow 65 \times \frac{1}{100} = \frac{65}{100} = \frac{13}{20}$$

$\frac{1}{100}$ 을 곱해!

기약분수로 나타낼 수 있어.

백분율은 기준량을 100으로 할 때의 비율이야.

🐙 백분율을 기약분수로 나타내세요.

1 $17\,\% \rightarrow 17 \times \frac{1}{100} = \frac{\boxed{17}}{100}$

2 $39\,\% \rightarrow 39 \times \frac{1}{100} = \frac{\boxed{}}{100}$

3 $24\,\% \rightarrow 24 \times \frac{1}{100} = \frac{\boxed{}}{100} = \frac{\boxed{}}{\boxed{}}$

4 $38\,\% \rightarrow 38 \times \frac{1}{100} = \frac{\boxed{}}{100} = \frac{\boxed{}}{\boxed{}}$

5 $44\,\% \rightarrow 44 \times \frac{1}{100} = \frac{\boxed{}}{100} = \frac{\boxed{}}{\boxed{}}$

6 $56\,\% \rightarrow 56 \times \frac{1}{100} = \frac{\boxed{}}{100} = \frac{\boxed{}}{\boxed{}}$

7 $78\,\% \rightarrow 78 \times \frac{1}{100} = \frac{\boxed{}}{100} = \frac{\boxed{}}{\boxed{}}$

8 $75\,\% \rightarrow 75 \times \frac{1}{100} = \frac{\boxed{}}{100} = \frac{\boxed{}}{\boxed{}}$

9 $84\,\% \rightarrow 84 \times \frac{1}{100} = \frac{\boxed{}}{100} = \frac{\boxed{}}{\boxed{}}$

10 $95\,\% \rightarrow 95 \times \frac{1}{100} = \frac{\boxed{}}{100} = \frac{\boxed{}}{\boxed{}}$

🐙 백분율을 기약분수로 나타내세요.

11 　30 %　➡ (　　　　　　　　　)　　12 　35 %　➡ (　　　　　　　　　)

13 　22 %　➡ (　　　　　　　　　)　　14 　68 %　➡ (　　　　　　　　　)

15 　12 %　➡ (　　　　　　　　　)　　16 　5 %　➡ (　　　　　　　　　)

17 　96 %　➡ (　　　　　　　　　)　　18 　55 %　➡ (　　　　　　　　　)

19 　25 %　➡ (　　　　　　　　　)　　20 　66 %　➡ (　　　　　　　　　)

21 　28 %　➡ (　　　　　　　　　)　　22 　42 %　➡ (　　　　　　　　　)

23 　6 %　➡ (　　　　　　　　　)　　24 　64 %　➡ (　　　　　　　　　)

◎ 3단계 비와 비율

3. 백분율

● 백분율을 소수로 나타내기

방법1 65 % ➜ $\dfrac{65}{100}$ = 0.65 → 분모가 100인 분수로 먼저 나타내고 소수로 바꾸기

방법2 65 % ➜ 0.65 → 백분율에서 %를 빼고 소수점을 왼쪽으로 두 자리 옮겨서 구하기

🐙 백분율을 소수로 나타내세요.

1 8 % ➜ $\dfrac{\boxed{8}}{100}$ = $\boxed{0.08}$

2 7 % ➜ $\dfrac{\boxed{}}{100}$ = $\boxed{}$

3 15 % ➜ $\dfrac{\boxed{}}{100}$ = $\boxed{}$

4 26 % ➜ $\dfrac{\boxed{}}{100}$ = $\boxed{}$

5 10 % ➜ $\dfrac{\boxed{}}{100}$ = $\boxed{}$

6 36 % ➜ $\dfrac{\boxed{}}{100}$ = $\boxed{}$

7 44 % ➜ $\dfrac{\boxed{}}{100}$ = $\boxed{}$

8 53 % ➜ $\dfrac{\boxed{}}{100}$ = $\boxed{}$

9 69 % ➜ $\dfrac{\boxed{}}{100}$ = $\boxed{}$

10 72 % ➜ $\dfrac{\boxed{}}{100}$ = $\boxed{}$

🐙 백분율을 소수로 나타내세요.

11 81 % ➡ (　　　　　　　　)

12 2 % ➡ (　　　　　　　　)

13 47 % ➡ (　　　　　　　　)

14 70 % ➡ (　　　　　　　　)

15 4 % ➡ (　　　　　　　　)

16 12 % ➡ (　　　　　　　　)

17 27 % ➡ (　　　　　　　　)

18 84 % ➡ (　　　　　　　　)

19 50 % ➡ (　　　　　　　　)

20 93 % ➡ (　　　　　　　　)

21 73.9 % ➡ (　　　　　　　　)

22 33.7 % ➡ (　　　　　　　　)

23 86.7 % ➡ (　　　　　　　　)

24 67.5 % ➡ (　　　　　　　　)

◎ 3단계 비와 비율

3. 백분율

예 공을 20번 차고 12번 넣었을 때 찬 횟수에 대한 넣은 횟수의 비율을 백분율로 나타내기

$$\text{(백분율)} = \frac{\text{(넣은 횟수)}}{\text{(찬 횟수)}} \times 100 = \frac{12}{20} \times 100 = 60 \, (\%)$$

넣은 횟수 → 12
찬 횟수 → 20

🐙 찬 횟수에 대한 넣은 횟수의 비율을 백분율로 나타내세요.

1

찬 횟수	넣은 횟수
25번	14번

(56 %   )

2

찬 횟수	넣은 횟수
50번	36번

(   )

3

찬 횟수	넣은 횟수
45번	27번

(   )

4

찬 횟수	넣은 횟수
50번	12번

(   )

5

찬 횟수	넣은 횟수
60번	42번

(   )

6

찬 횟수	넣은 횟수
70번	28번

(   )

🐙 각 축구 선수의 찬 횟수에 대한 넣은 횟수의 비율을 백분율로 나타내세요.

7

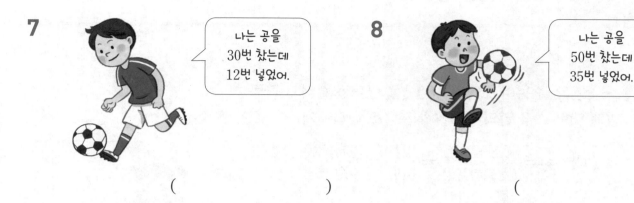

나는 공을
30번 찼는데
12번 넣었어.

(　　　　　)

8

나는 공을
50번 찼는데
35번 넣었어.

(　　　　　)

9

나는 공을
10번 찼는데
3번 넣었어.

(　　　　　)

10

나는 공을
25번 찼는데
7번 넣었어.

(　　　　　)

11

나는 공을
30번 찼는데
21번 넣었어.

(　　　　　)

12

나는 공을
40번 찼는데
8번 넣었어.

(　　　　　)

◎3단계 비와 비율

3. 백분율

예 소금 21 g을 녹여 소금물 300 g을 만들었을 때 소금물 양에 대한 소금 양의 비율을 백분율로 나타내기

➡ $(백분율) = \dfrac{(소금\ 양)}{(소금물\ 양)} = \dfrac{21}{300} = \dfrac{21 \div 3}{300 \div 3}$

　　　　$= \dfrac{7}{100}$ ➡ 7 %

(소금물 양)
＝(물 양)＋(소금 양)이야!

🐙 소금물 양에 대한 소금 양의 비율을 백분율로 나타내세요.

1

소금(g)	소금물(g)
80	200

(　　40 %　　)

2

소금(g)	소금물(g)
90	300

(　　　　　)

3

소금(g)	소금물(g)
140	400

(　　　　　)

4

소금(g)	소금물(g)
125	500

(　　　　　)

5

소금(g)	소금물(g)
330	600

(　　　　　)

6

소금(g)	소금물(g)
315	700

(　　　　　)

🐙 친구들이 만든 소금물 양에 대한 소금 양의 비율을 백분율로 나타내세요.

7

나는 소금 6 g을 녹여
소금물 120 g을 만들었어.

(   )

8

나는 소금 12 g을 녹여
소금물 150 g을 만들었어.

(   )

9

나는 소금 18 g을 녹여
소금물 120 g을 만들었어.

(   )

10

나는 소금 36 g을 녹여
소금물 200 g을 만들었어.

(   )

11

나는 소금 60 g을 녹여
소금물 250 g을 만들었어.

(   )

12

나는 소금 75 g을 녹여
소금물 300 g을 만들었어.

(   )

💡 **생활 속 연산**

하은이네 카페에서 딸기청을 만들어 딸기우유를 판매하려 합니다.
딸기청이 70 g 들어가고 딸기우유의 총 용량이 350 g일 때, 딸기우
유에 대한 딸기청의 비율은 몇 %인지 구하세요.

(   )

마무리 연산

🐙 비율을 분수로 나타내세요.

1

7 : 9

( )

2

17 : 32

( )

3

8 대 11

( )

4

8 대 15

( )

5

1의 13에 대한 비

( )

6

5의 9에 대한 비

( )

7

16과 20의 비

( )

8

24와 36의 비

( )

9

10의 25에 대한 비

( )

10

18의 26에 대한 비

( )

11

40에 대한 18의 비

( )

12

55에 대한 30의 비

( )

🐙 비율을 소수로 나타내세요.

13
| 3 : 5 |

(   )

14
| 7 : 20 |

(   )

15
| 6 대 8 |

(   )

16
| 2 대 5 |

(   )

17
| 10과 25의 비 |

(   )

18
| 30과 20의 비 |

(   )

19
| 8의 16에 대한 비 |

(   )

20
| 16의 20에 대한 비 |

(   )

21
| 5의 20에 대한 비 |

(   )

22
| 15에 대한 9의 비 |

(   )

23
| 12에 대한 6의 비 |

(   )

24
| 20에 대한 16의 비 |

(   )

🎯3단계 비와 비율

마무리 연산

🐙 비율을 백분율로 나타내세요.

1 $\dfrac{4}{5}$ ➡ (   )　　　　**2** $\dfrac{9}{10}$ ➡ (   )

3 $\dfrac{13}{20}$ ➡ (   )　　　　**4** $\dfrac{17}{20}$ ➡ (   )

5 $\dfrac{9}{25}$ ➡ (   )　　　　**6** $\dfrac{19}{25}$ ➡ (   )

7 $\dfrac{39}{50}$ ➡ (   )　　　　**8** $\dfrac{47}{50}$ ➡ (   )

9 0.6 ➡ (   )　　　　**10** 0.05 ➡ (   )

11 0.37 ➡ (   )　　　　**12** 0.69 ➡ (   )

13 0.007 ➡ (   )　　　　**14** 0.825 ➡ (   )

🐙 설탕물 양에 대한 설탕 양의 비율을 백분율로 나타내세요.

15

설탕(g)	설탕물(g)
18	120

(　　　　　　)

16

설탕(g)	설탕물(g)
24	150

(　　　　　　)

17

설탕(g)	설탕물(g)
40	200

(　　　　　　)

18

설탕(g)	설탕물(g)
50	250

(　　　　　　)

19

설탕(g)	설탕물(g)
120	300

(　　　　　　)

20

설탕(g)	설탕물(g)
140	350

(　　　　　　)

21

설탕(g)	설탕물(g)
140	400

(　　　　　　)

22

설탕(g)	설탕물(g)
135	450

(　　　　　　)

23

설탕(g)	설탕물(g)
225	500

(　　　　　　)

24

설탕(g)	설탕물(g)
330	550

(　　　　　　)

4

직육면체의
부피와 겉넓이

실수하지 않는 유일한
방법은 연습뿐이양

학습 결과와 시간을 써 보세요!

학습 내용	학습 회차	맞힌 개수/걸린 시간
1. 직육면체의 부피	DAY 01	/
	DAY 02	/
	DAY 03	/
	DAY 04	/
2. 정육면체의 부피	DAY 05	/
	DAY 06	/
	DAY 07	/
3. 여러 가지 입체도형의 부피	DAY 08	/
	DAY 09	/
	DAY 10	/
4. 직육면체의 겉넓이	DAY 11	/
	DAY 12	/
	DAY 13	/
	DAY 14	/
	DAY 15	/
5. 정육면체의 겉넓이	DAY 16	/
	DAY 17	/
	DAY 18	/
마무리 연산	DAY 19	/
	DAY 20	/

🎯 4단계 직육면체의 부피와 겉넓이

1. 직육면체의 부피

● 직육면체의 부피 구하기

예

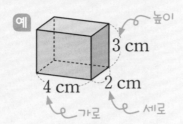
3 cm (높이)
4 cm (가로)
2 cm (세로)

(직육면체의 부피)
= (가로) × (세로) × (높이)
= 4 × 2 × 3 = 24 (cm³)

(직육면체의 부피)는
(밑면의 넓이) × (높이)로
구할 수도 있어!

🐙 직육면체의 부피를 구하세요.

1

7 cm
5 cm 4 cm

(직육면체의 부피)
= $\boxed{5}$ × $\boxed{4}$ × $\boxed{7}$
= $\boxed{140}$ (cm³)

2

9 cm
3 cm 6 cm

(직육면체의 부피)
= $\boxed{}$ × $\boxed{}$ × $\boxed{}$
= $\boxed{}$ (cm³)

3

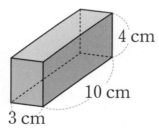
4 cm
10 cm
3 cm

(　　　　　　　) cm³

4

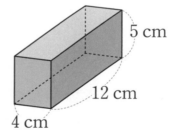
5 cm
12 cm
4 cm

(　　　　　　　) cm³

5

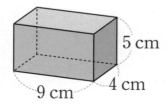
5 cm
9 cm 4 cm

(　　　　　　　) cm³

6

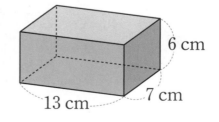
6 cm
13 cm 7 cm

(　　　　　　　) cm³

🐙 직육면체의 부피를 구하세요.

7

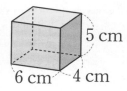

5 cm
6 cm   4 cm

(   ) cm³

8

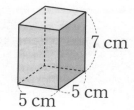

7 cm
5 cm   5 cm

(   ) cm³

9

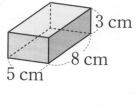

3 cm
8 cm
5 cm

(   ) cm³

10

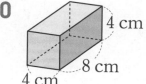

4 cm
8 cm
4 cm

(   ) cm³

11

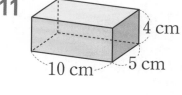

4 cm
10 cm   5 cm

(   ) cm³

12

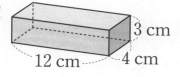

3 cm
12 cm   4 cm

(   ) cm³

13

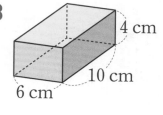

4 cm
10 cm
6 cm

(   ) cm³

14

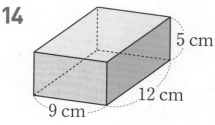

5 cm
12 cm
9 cm

(   ) cm³

🎯 4단계 직육면체의 부피와 겉넓이

1. 직육면체의 부피

🐙 전개도를 접었을 때 만들어지는 직육면체의 부피를 구하세요.

1

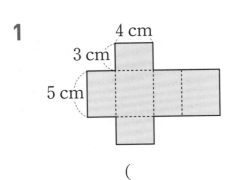

(   ) cm^3

2

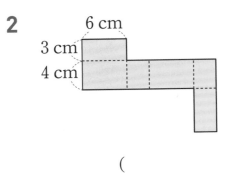

(   ) cm^3

3

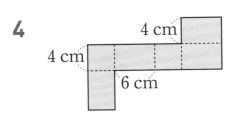

(   ) cm^3

4

(   ) cm^3

5

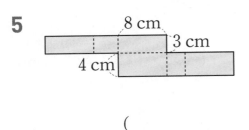

(   ) cm^3

6

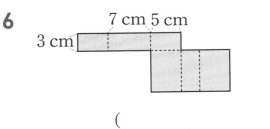

(   ) cm^3

7

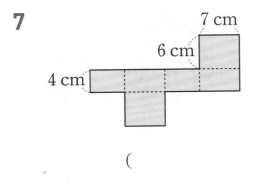

(   ) cm^3

8

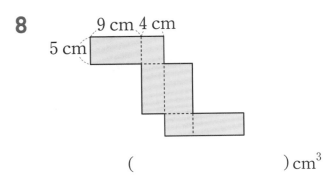

(   ) cm^3

🐙 서영이가 친구들에게 받은 생일 선물입니다. 서영이가 받은 직육면체 모양의 선물 상자의 부피를 구하세요.

9
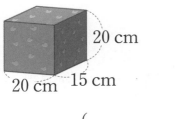

(   ) cm³

10
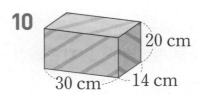

(   ) cm³

11
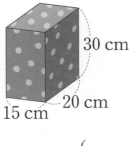

(   ) cm³

12
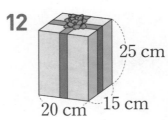

(   ) cm³

13
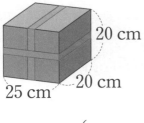

(   ) cm³

14
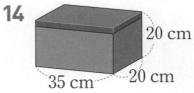

(   ) cm³

15
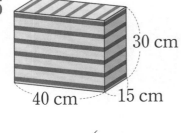

(   ) cm³

16

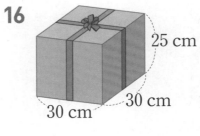

(   ) cm³

🎯 4단계 직육면체의 부피와 겉넓이

1. 직육면체의 부피

● 직육면체의 부피는 몇 m³인지 구하기

예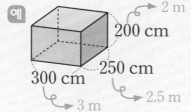
2 m
200 cm
250 cm
300 cm
3 m
2.5 m

(직육면체의 부피)
$= 3 \times 2.5 \times 2 = 15 \, (\text{m}^3)$

100 cm = 1 m로
단위를 바꿔서 계산해 보자!

🐙 직육면체의 부피를 구하세요.

1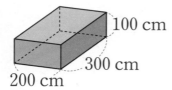
100 cm
300 cm
200 cm

(6   ) m³

2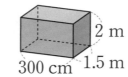
2 m
300 cm 1.5 m

(   ) m³

3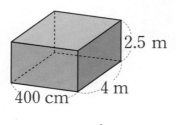
2.5 m
400 cm 4 m

(   ) m³

4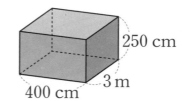
250 cm
400 cm 3 m

(   ) m³

5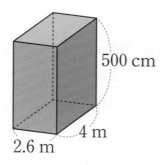
500 cm
4 m
2.6 m

(   ) m³

6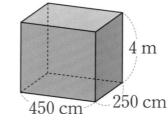
4 m
450 cm 250 cm

(   ) m³

🐙 직육면체의 부피를 구하세요.

7

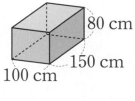

80 cm
150 cm
100 cm

(　　　　　　　　　) m³

8

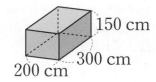

150 cm
300 cm
200 cm

(　　　　　　　　　) m³

9

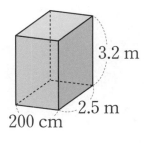

3.2 m
2.5 m
200 cm

(　　　　　　　　　) m³

10

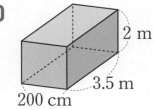

2 m
3.5 m
200 cm

(　　　　　　　　　) m³

11

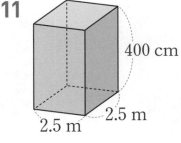

400 cm
2.5 m
2.5 m

(　　　　　　　　　) m³

12

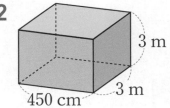

3 m
3 m
450 cm

(　　　　　　　　　) m³

13

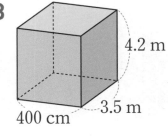

4.2 m
3.5 m
400 cm

(　　　　　　　　　) m³

14

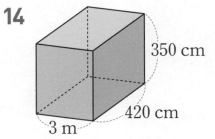

350 cm
420 cm
3 m

(　　　　　　　　　) m³

DAY 04

1. 직육면체의 부피

🐙 직육면체의 부피를 구하세요.

1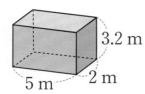

(   ) m³

2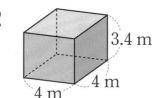

(   ) m³

3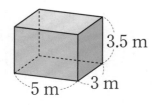

(   ) m³

4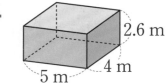

(   ) m³

5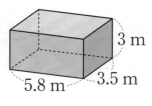

(   ) m³

6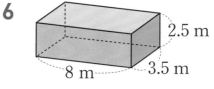

(   ) m³

7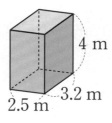

(   ) m³

8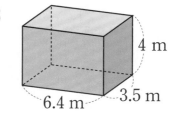

(   ) m³

🐙 직육면체 모양의 음료수 상자의 부피를 구하세요.

9

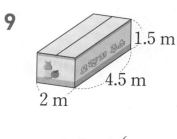

(   ) m³

10

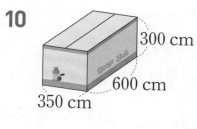

(   ) m³

11

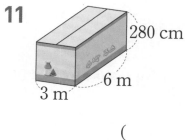

(   ) m³

12

(   ) m³

13

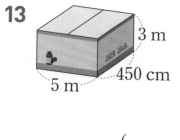

(   ) m³

14

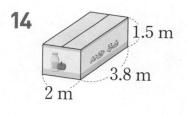

(   ) m³

15

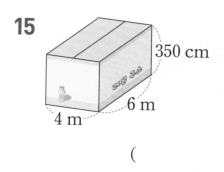

(   ) m³

16

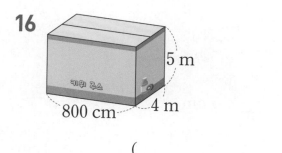

(   ) m³

2. 정육면체의 부피

● 정육면체의 부피 구하기

예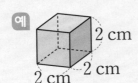
2 cm
2 cm
2 cm

(정육면체의 부피)
= (한 모서리의 길이) × (한 모서리의 길이) × (한 모서리의 길이)
= 2 × 2 × 2 = 8 (cm³)

🐙 정육면체의 부피를 구하세요.

1

3 cm
3 cm
3 cm

(정육면체의 부피)
= ☐3☐ × ☐3☐ × ☐3☐
= ☐27☐ (cm³)

2
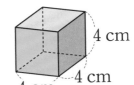
4 cm
4 cm
4 cm

(정육면체의 부피)
= ☐ × ☐ × ☐
= ☐ (cm³)

3
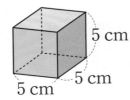
5 cm
5 cm
5 cm

(   ) cm³

4
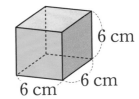
6 cm
6 cm
6 cm

(   ) cm³

5
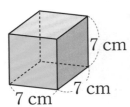
7 cm
7 cm
7 cm

(   ) cm³

6
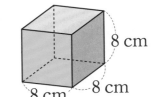
8 cm
8 cm
8 cm

(   ) cm³

🐙 정육면체의 부피를 구하세요.

7

9 cm
9 cm
9 cm

(　　　　　) cm³

8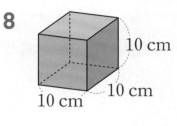

10 cm
10 cm
10 cm

(　　　　　) cm³

9

11 cm
11 cm
11 cm

(　　　　　) cm³

10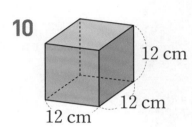

12 cm
12 cm
12 cm

(　　　　　) cm³

11

13 cm
13 cm
13 cm

(　　　　　) cm³

12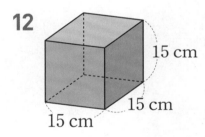

15 cm
15 cm
15 cm

(　　　　　) cm³

13

18 cm
18 cm
18 cm

(　　　　　) cm³

14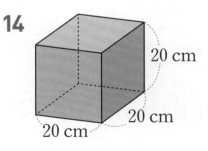

20 cm
20 cm
20 cm

(　　　　　) cm³

4단계 직육면체의 부피와 겉넓이

2. 정육면체의 부피

🐙 전개도를 접었을 때 만들어지는 정육면체의 부피를 구하세요.

1

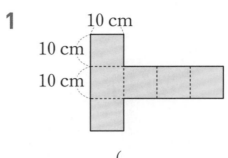

10 cm
10 cm
10 cm

(   ) cm^3

2

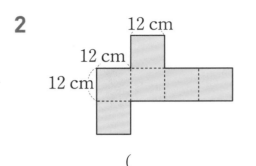

12 cm
12 cm
12 cm

(   ) cm^3

3

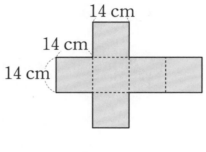

14 cm
14 cm
14 cm

(   ) cm^3

4

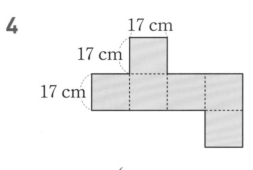

17 cm
17 cm
17 cm

(   ) cm^3

5

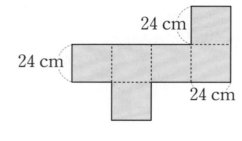

24 cm
24 cm
24 cm

(   ) cm^3

6

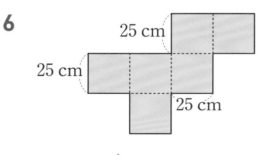

25 cm
25 cm
25 cm

(   ) cm^3

7

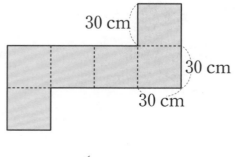

30 cm
30 cm
30 cm

(   ) cm^3

8

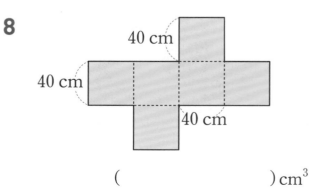

40 cm
40 cm
40 cm

(   ) cm^3

🐙 정육면체 모양의 주사위가 여러 가지 크기로 있습니다. 주사위의 부피를 구하세요.

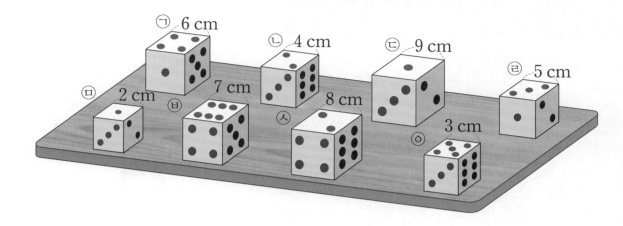

9 ㉠ 주사위

(   ) cm^3

10 ㉡ 주사위

(   ) cm^3

11 ㉢ 주사위

(   ) cm^3

12 ㉣ 주사위

(   ) cm^3

13 ㉤ 주사위

(   ) cm^3

14 ㉥ 주사위

(   ) cm^3

15 ㉦ 주사위

(   ) cm^3

16 ㉧ 주사위

(   ) cm^3

2. 정육면체의 부피

● 정육면체의 부피는 몇 m³인지 구하기

예

200 cm
⤷ 2 m

(정육면체의 부피)
$= 2 \times 2 \times 2 = 8 \,(\text{m}^3)$

$200 \times 200 \times 200 = 8000000 \,(\text{cm}^3)$
➜ 8 m³로 구할 수 있어.

🐙 정육면체의 부피를 구하세요.

1

300 cm

(27   ) m³

2

400 cm

(   ) m³

3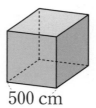

500 cm

(   ) m³

4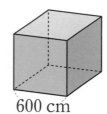

600 cm

(   ) m³

5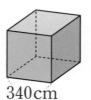

340 cm

(   ) m³

6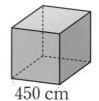

450 cm

(   ) m³

🐙 정육면체의 부피를 구하세요.

7 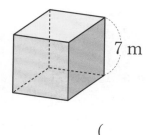 7 m

(   ) m³

8 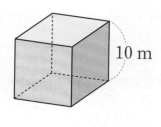 10 m

(   ) m³

9 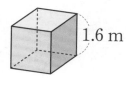 1.6 m

(   ) m³

10 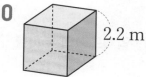 2.2 m

(   ) m³

11 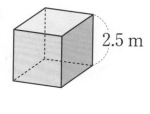 2.5 m

(   ) m³

12 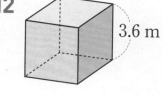 3.6 m

(   ) m³

💡 **생활 속 연산**

상민이는 이사갈 집에 있는 정육면체 모양의 방 부피를 알아보려고 합니다. 방의 한 모서리가 2.4 m일 때 방의 부피는 몇 m³인지 구하세요.

(   ) 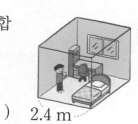 2.4 m

◎ 4단계 직육면체의 부피와 겉넓이

3. 여러 가지 입체도형의 부피

● 큰 직육면체의 부피에서 작은 직육면체의 부피를 빼서 입체도형의 부피 구하기

예

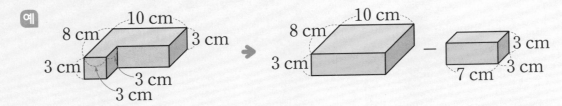

(입체도형의 부피)＝10×8×3－7×3×3＝240－63＝177 (cm³)

🐙 직육면체로 이루어진 입체도형의 부피를 구하세요.

1

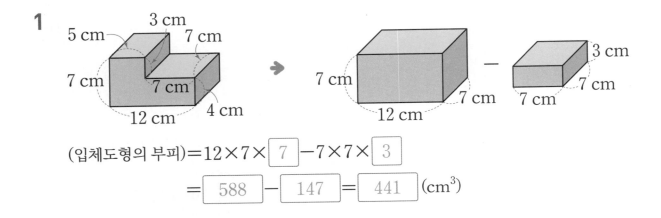

(입체도형의 부피)＝12×7× 7 －7×7× 3

＝ 588 － 147 ＝ 441 (cm³)

2

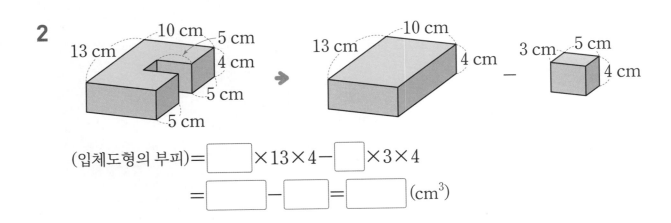

(입체도형의 부피)＝ ☐ ×13×4－ ☐ ×3×4

＝ ☐ － ☐ ＝ ☐ (cm³)

🐙 직육면체로 이루어진 입체도형의 부피를 구하세요.

3

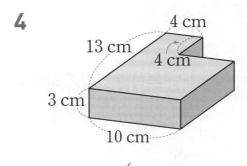

6 cm 8 cm 3 cm 2 cm 12 cm

(   ) cm³

4

4 cm 13 cm 4 cm 3 cm 10 cm

(   ) cm³

5

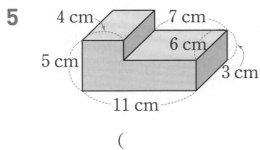

4 cm 7 cm 6 cm 5 cm 3 cm 11 cm

(   ) cm³

6

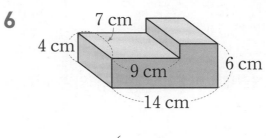

7 cm 4 cm 9 cm 6 cm 14 cm

(   ) cm³

7

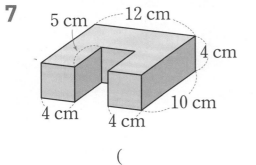

5 cm 12 cm 4 cm 4 cm 4 cm 10 cm

(   ) cm³

8

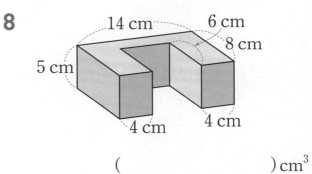

14 cm 6 cm 8 cm 5 cm 4 cm 4 cm

(   ) cm³

9

5 cm 5 cm 5 cm 20 cm 18 cm 15 cm

(   ) cm³

10

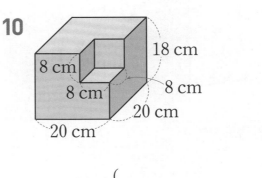

8 cm 18 cm 8 cm 8 cm 20 cm 20 cm

(   ) cm³

3. 여러 가지 입체도형의 부피

● 직육면체 2개의 부피를 각각 구하여 더하여 입체도형의 부피 구하기

예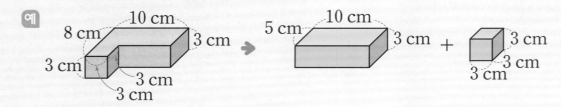

(입체도형의 부피)=10×5×3+3×3×3=150+27=177 (cm³)

🐙 직육면체로 이루어진 입체도형의 부피를 구하세요.

1

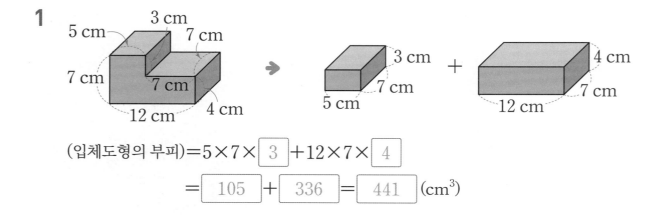

(입체도형의 부피)=5×7× 3 +12×7× 4

= 105 + 336 = 441 (cm³)

2

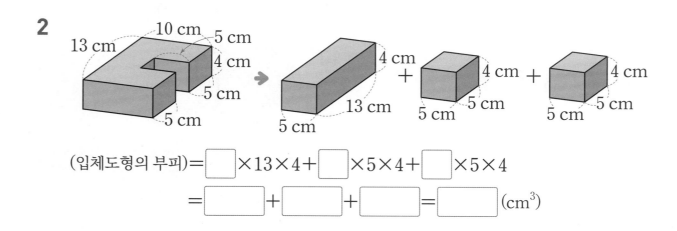

(입체도형의 부피)=☐×13×4+☐×5×4+☐×5×4

=☐+☐+☐=☐ (cm³)

🐙 직육면체로 이루어진 입체도형의 부피를 구하세요.

3

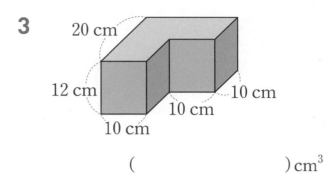

20 cm
12 cm
10 cm
10 cm
10 cm

(　　　　　　　　) cm³

4

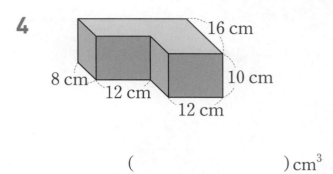

16 cm
8 cm
12 cm
10 cm
12 cm

(　　　　　　　　) cm³

5

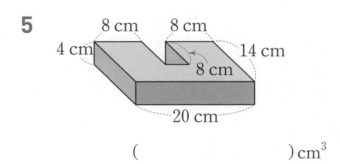

8 cm　8 cm
4 cm
14 cm
8 cm
20 cm

(　　　　　　　　) cm³

6

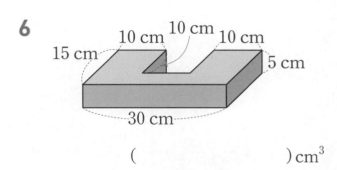

10 cm　10 cm　10 cm
15 cm
5 cm
30 cm

(　　　　　　　　) cm³

7

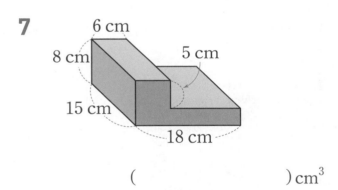

6 cm
8 cm
5 cm
15 cm
18 cm

(　　　　　　　　) cm³

8

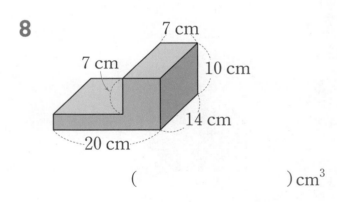

7 cm
7 cm
10 cm
14 cm
20 cm

(　　　　　　　　) cm³

9

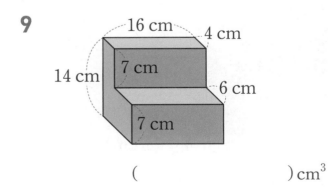

16 cm　4 cm
14 cm
7 cm
6 cm
7 cm

(　　　　　　　　) cm³

10

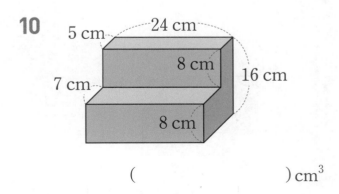

5 cm　24 cm
8 cm
7 cm
16 cm
8 cm

(　　　　　　　　) cm³

3. 여러 가지 입체도형의 부피

🐙 직육면체로 이루어진 입체도형의 부피를 구하세요.

1

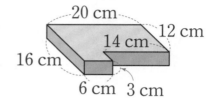
20 cm
12 cm
14 cm
16 cm
6 cm 3 cm

(   ) cm³

2

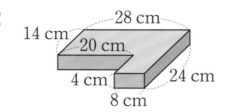
28 cm
14 cm
20 cm
4 cm 24 cm
8 cm

(   ) cm³

3

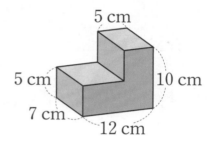
5 cm
5 cm 10 cm
7 cm 12 cm

(   ) cm³

4

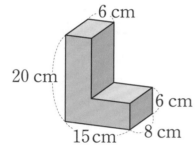
6 cm
20 cm
6 cm
15 cm 8 cm

(   ) cm³

5

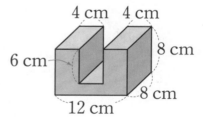
4 cm 4 cm
8 cm
6 cm
8 cm
12 cm

(   ) cm³

6

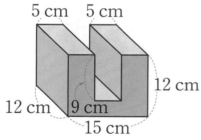
5 cm 5 cm
12 cm
12 cm 9 cm
15 cm

(   ) cm³

7

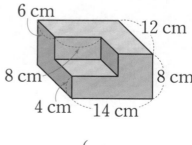
6 cm
12 cm
8 cm 8 cm
4 cm 14 cm

(   ) cm³

8

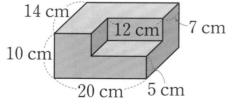
14 cm
12 cm 7 cm
10 cm
20 cm 5 cm

(   ) cm³

🐙 직육면체로 이루어진 입체도형의 부피를 구하세요.

9

(   ) cm³

10

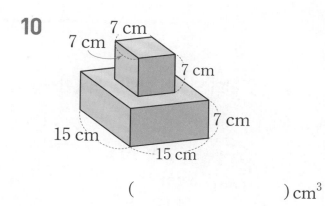

(   ) cm³

11

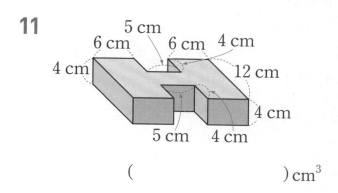

(   ) cm³

12

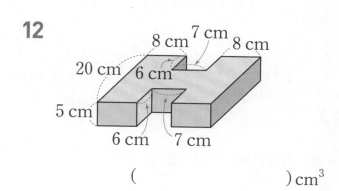

(   ) cm³

13

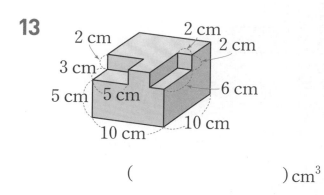

(   ) cm³

14

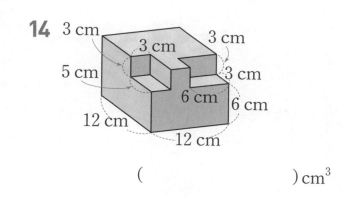

(   ) cm³

💡 **생활 속 연산**

지은이는 강아지의 관절을 위해 강아지용 계단을 사려고 합니다. 이때, 강아지용 계단의 부피는 몇 cm³인지 구하세요.

(   )

4. 직육면체의 겉넓이

● 여섯 면의 넓이의 합으로 직육면체의 겉넓이 구하기

예

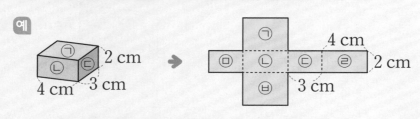

물체 겉면의 넓이를 겉넓이라고 해!

(직육면체의 겉넓이)=(여섯 면의 넓이의 합)
$$=㉠+㉡+㉢+㉣+㉤+㉥$$
$$=(4×3)+(4×2)+(3×2)+(4×2)+(3×2)+(4×3)$$
$$=12+8+6+8+6+12=52\,(\text{cm}^2)$$

🐙 직육면체의 겉넓이를 구하세요.

1

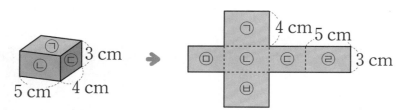

(직육면체의 겉넓이)=㉠+㉡+㉢+㉣+㉤+㉥
$$=20+15+12+\boxed{15}+\boxed{12}+\boxed{20}=\boxed{94}\,(\text{cm}^2)$$

2

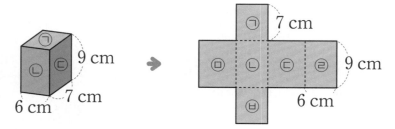

(직육면체의 겉넓이)=㉠+㉡+㉢+㉣+㉤+㉥
$$=42+54+63+\boxed{}+\boxed{}+\boxed{}=\boxed{}\,(\text{cm}^2)$$

🐙 직육면체의 겉넓이를 구하세요.

3

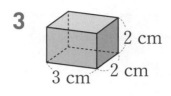

(　　　　　　) cm²

4

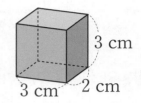

(　　　　　　) cm²

5

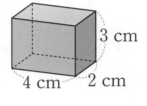

(　　　　　　) cm²

6

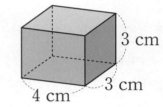

(　　　　　　) cm²

7

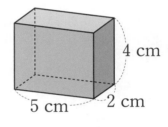

(　　　　　　) cm²

8

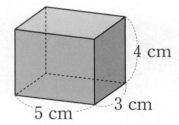

(　　　　　　) cm²

9

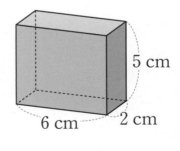

(　　　　　　) cm²

10

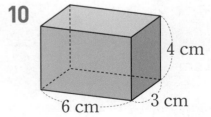

(　　　　　　) cm²

4. 직육면체의 겉넓이

● 세 쌍의 면이 합동인 성질을 이용하여 직육면체의 겉넓이 구하기

예

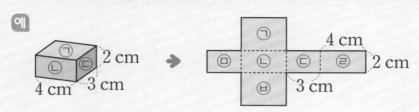

면 ㉠과 면 ㉘,
면 ㉡과 면 ㉤,
면 ㉢과 면 ㉣은
서로 합동이야!

(직육면체의 겉넓이)
= (한 꼭짓점에서 만나는 세 면의 넓이의 합)
= (㉠+㉡+㉢)×2 = (4×3+4×2+3×2)×2
= (12+8+6)×2 = 26×2 = 52 (cm²)

🐙 직육면체의 겉넓이를 구하세요.

1

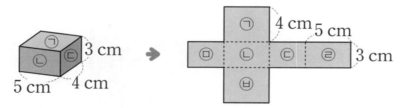

(직육면체의 겉넓이) = (㉠+㉡+㉢)×2 = (20 + 15 + 12)×2

= 47 ×2 = 94 (cm²)

2

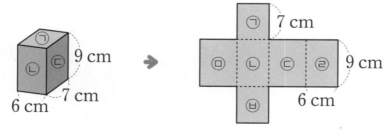

(직육면체의 겉넓이) = (㉠+㉡+㉢)×2 = (☐ + ☐ + ☐)×2

= ☐ ×2 = ☐ (cm²)

🐙 소유는 여러 종류의 직육면체 모양의 수제 비누를 만들었습니다. 이 수제 비누의 겉넓이를 구하세요.

3

3 cm
6 cm
6 cm

(　　　　　　) cm²

4

3 cm
8 cm
10 cm

(　　　　　　) cm²

5

3 cm
8 cm
9 cm

(　　　　　　) cm²

6

2 cm
10 cm
10 cm

(　　　　　　) cm²

7

2 cm
5 cm
5 cm

(　　　　　　) cm²

8

4 cm
3 cm
8 cm

(　　　　　　) cm²

9

4 cm
5 cm
7 cm

(　　　　　　) cm²

10

3 cm
7 cm
9 cm

(　　　　　　) cm²

4. 직육면체의 겉넓이

● 옆면과 두 밑면의 넓이의 합으로 직육면체의 겉넓이 구하기

예

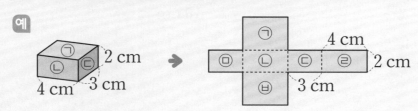

(직육면체의 겉넓이)

＝(한 밑면의 넓이의 합)×2＋(옆면의 넓이)

＝㉠×2＋(㉤＋㉡＋㉢＋㉣)

＝(4×3)×2＋(3＋4＋3＋4)×2＝24＋28＝52 (cm²)

🐙 직육면체의 겉넓이를 구하세요.

1

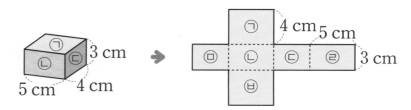

(직육면체의 겉넓이)＝㉠×2＋(㉤＋㉡＋㉢＋㉣)

＝ 20 ×2＋ 54 ＝ 94 (cm²)

2

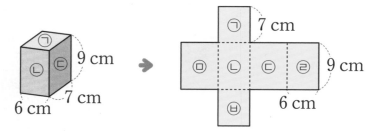

(직육면체의 겉넓이)＝㉠×2＋(㉤＋㉡＋㉢＋㉣)

＝ [ ] ×2＋ [ ] ＝ [ ] (cm²)

🐙 직육면체의 겉넓이를 구하세요.

3
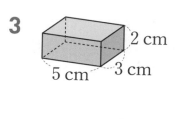
2 cm
5 cm　3 cm

(　　　　　) cm²

4
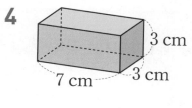
3 cm
7 cm　3 cm

(　　　　　) cm²

5
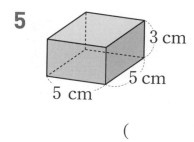
3 cm
5 cm
5 cm

(　　　　　) cm²

6
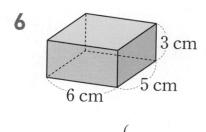
3 cm
6 cm　5 cm

(　　　　　) cm²

7
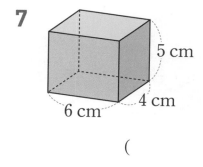
5 cm
6 cm　4 cm

(　　　　　) cm²

8
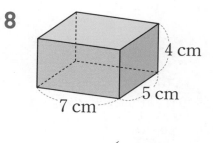
4 cm
7 cm　5 cm

(　　　　　) cm²

9
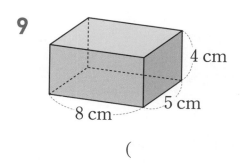
4 cm
8 cm　5 cm

(　　　　　) cm²

10
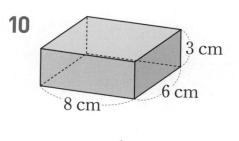
3 cm
8 cm　6 cm

(　　　　　) cm²

4. 직육면체의 겉넓이

 전개도를 접었을 때 만들어지는 직육면체의 겉넓이를 구하세요.

1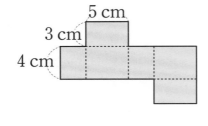

(   ) cm^2

2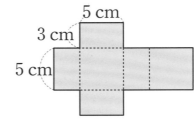

(   ) cm^2

3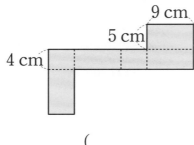

(   ) cm^2

4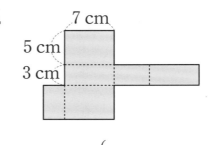

(   ) cm^2

5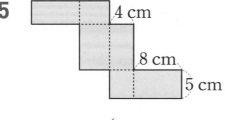

(   ) cm^2

6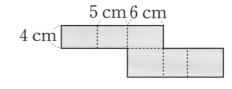

(   ) cm^2

7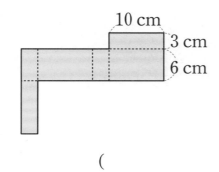

(   ) cm^2

8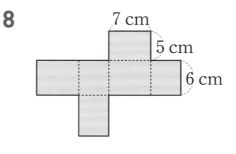

(   ) cm^2

🐙 직육면체의 겉넓이를 구하세요.

9

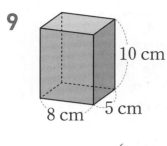

(   ) cm^2

10

(   ) cm^2

11

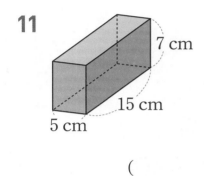

(   ) cm^2

12

(   ) cm^2

13

(   ) cm^2

14

(   ) cm^2

15

(   ) cm^2

16

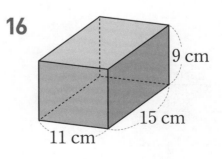

(   ) cm^2

4. 직육면체의 겉넓이

🐙 전개도를 접었을 때 만들어지는 직육면체의 겉넓이를 구하세요.

1

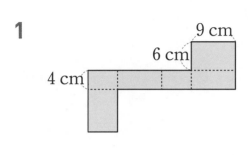

(   ) cm^2

2

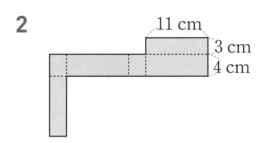

(   ) cm^2

3

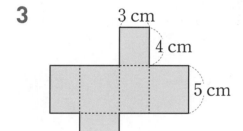

(   ) cm^2

4

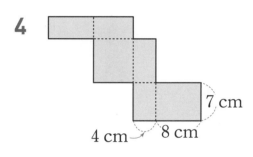

(   ) cm^2

5

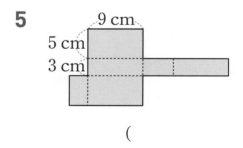

(   ) cm^2

6

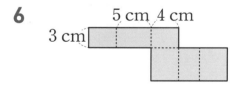

(   ) cm^2

7

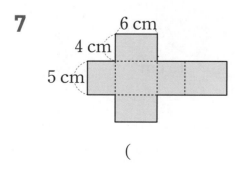

(   ) cm^2

8

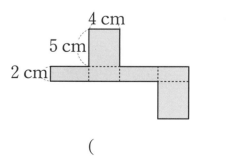

(   ) cm^2

🐙 직육면체의 겉넓이를 구하세요.

9
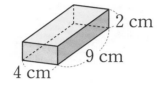
2 cm
9 cm
4 cm

(   ) cm²

10
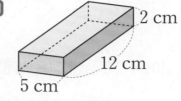
2 cm
12 cm
5 cm

(   ) cm²

11
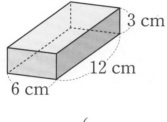
3 cm
12 cm
6 cm

(   ) cm²

12
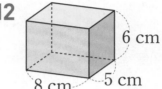
6 cm
8 cm
5 cm

(   ) cm²

13
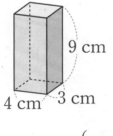
9 cm
4 cm
3 cm

(   ) cm²

14
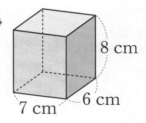
8 cm
7 cm
6 cm

(   ) cm²

15
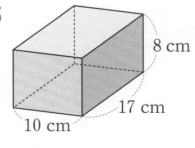
8 cm
17 cm
10 cm

(   ) cm²

16
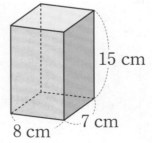
15 cm
8 cm
7 cm

(   ) cm²

◎4단계 직육면체의 부피와 겉넓이

5. 정육면체의 겉넓이

예 한 변의 길이가 3 cm인 정육면체의 겉넓이 구하기

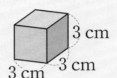

방법 1 (정육면체의 겉넓이)＝(여섯 면의 넓이의 합)
＝9＋9＋9＋9＋9＋9＝54 (cm²)

방법 2 (정육면체의 겉넓이)＝(한 면의 넓이)×6
＝3×3×6＝54 (cm²)

🐙 정육면체의 겉넓이를 구하세요.

1

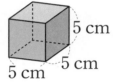

(정육면체의 겉넓이)
＝ 5 × 5 ×6＝ 150 (cm²)
└→ 한 면의 넓이

2

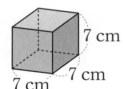

(정육면체의 겉넓이)
＝□×□×6＝□(cm²)

3

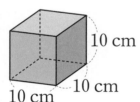

(정육면체의 겉넓이)
＝□×□×6＝□(cm²)

4

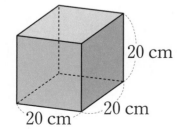

(정육면체의 겉넓이)
＝□×□×6＝□(cm²)

🐙 정육면체의 겉넓이를 구하세요.

5

2 cm
2 cm
2 cm

(   ) cm²

6

3 cm
3 cm
3 cm

(   ) cm²

7

4 cm
4 cm
4 cm

(   ) cm²

8

6 cm
6 cm
6 cm

(   ) cm²

9

8 cm
8 cm
8 cm

(   ) cm²

10

9 cm
9 cm
9 cm

(   ) cm²

11

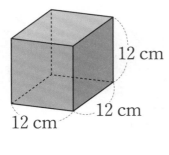

12 cm
12 cm
12 cm

(   ) cm²

12

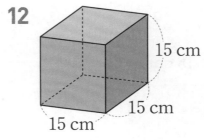

15 cm
15 cm
15 cm

(   ) cm²

5. 정육면체의 겉넓이

 전개도를 접었을 때 만들어지는 정육면체의 겉넓이를 구하세요.

1

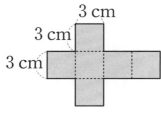

3 cm
3 cm
3 cm

(   ) cm^2

2

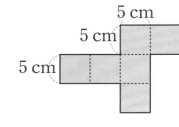

5 cm
5 cm
5 cm

(   ) cm^2

3

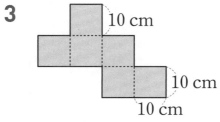

10 cm
10 cm
10 cm

(   ) cm^2

4

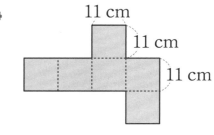

11 cm
11 cm
11 cm

(   ) cm^2

5

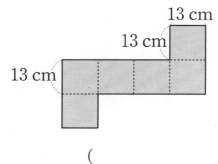

13 cm
13 cm
13 cm

(   ) cm^2

6

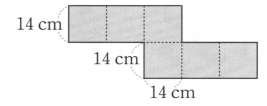

14 cm
14 cm
14 cm

(   ) cm^2

7

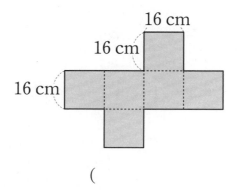

16 cm
16 cm
16 cm

(   ) cm^2

8

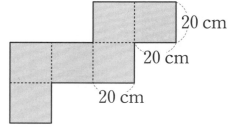

20 cm
20 cm
20 cm

(   ) cm^2

🐙 정육면체의 겉넓이를 구하세요.

9
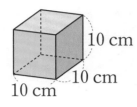
10 cm
10 cm
10 cm

(   ) cm^2

10
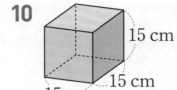
15 cm
15 cm
15 cm

(   ) cm^2

11
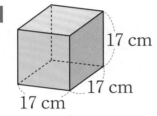
17 cm
17 cm
17 cm

(   ) cm^2

12
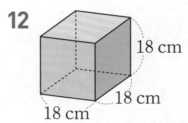
18 cm
18 cm
18 cm

(   ) cm^2

13
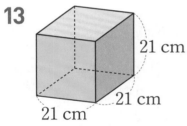
21 cm
21 cm
21 cm

(   ) cm^2

14
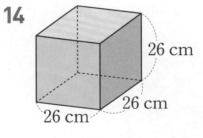
26 cm
26 cm
26 cm

(   ) cm^2

15
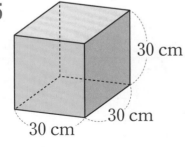
30 cm
30 cm
30 cm

(   ) cm^2

16
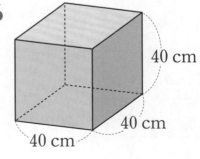
40 cm
40 cm
40 cm

(   ) cm^2

🎯 4단계 직육면체의 부피와 겉넓이

5. 정육면체의 겉넓이

🐙 전개도를 접었을 때 만들어지는 정육면체의 겉넓이를 구하세요.

1

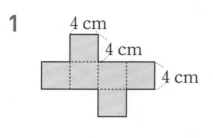

4 cm
4 cm
4 cm

(   ) cm²

2

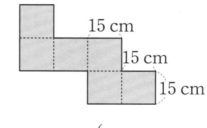

8 cm
8 cm
8 cm

(   ) cm²

3

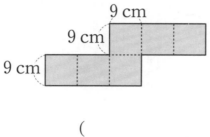

9 cm
9 cm
9 cm

(   ) cm²

4

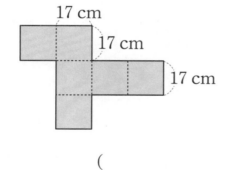

15 cm
15 cm
15 cm

(   ) cm²

5

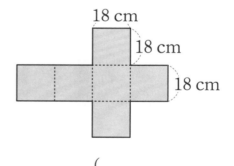

17 cm
17 cm
17 cm

(   ) cm²

6

18 cm
18 cm
18 cm

(   ) cm²

7

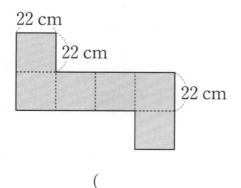

22 cm
22 cm
22 cm

(   ) cm²

8

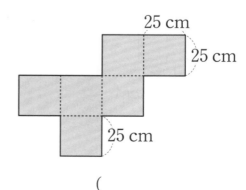

25 cm
25 cm
25 cm

(   ) cm²

🐙 지선이는 크기가 다른 정육면체 상자를 작은 것부터 순서대로 나열했습니다. 정육면체 상자의 겉넓이를 구하세요.

9  9 cm
9 cm　9 cm

(　　　　　　　　　) cm²

10  11 cm
11 cm　11 cm

(　　　　　　　　　) cm²

11  13 cm
13 cm
13 cm

(　　　　　　　　　) cm²

12  14 cm
14 cm　14 cm

(　　　　　　　　　) cm²

13 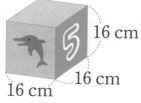 16 cm
16 cm　16 cm

(　　　　　　　　　) cm²

14 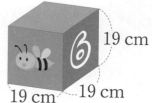 19 cm
19 cm　19 cm

(　　　　　　　　　) cm²

💡 **생활 속 연산**

서유는 심부름으로 마트에서 두부를 사 왔습니다. 한 모서리의 길이가 12 cm인 정육면체 모양의 두부의 겉넓이는 몇 cm² 인지 구하세요.

12 cm

(　　　　　　　　　)

🎯 4단계 직육면체의 부피와 겉넓이

마무리 연산

 직육면체의 부피를 구하세요.

1
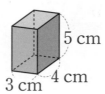
5 cm
4 cm
3 cm

(   ) cm³

2
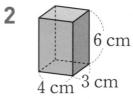
6 cm
4 cm 3 cm

(   ) cm³

3
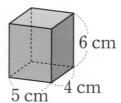
6 cm
5 cm 4 cm

(   ) cm³

4
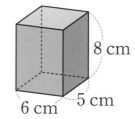
8 cm
6 cm 5 cm

(   ) cm³

5
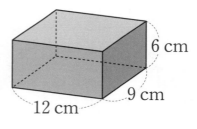
6 cm
12 cm 9 cm

(   ) cm³

6
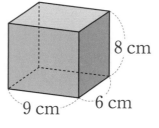
8 cm
9 cm 6 cm

(   ) cm³

7
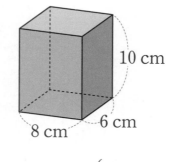
10 cm
8 cm 6 cm

(   ) cm³

8
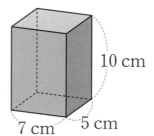
10 cm
7 cm 5 cm

(   ) cm³

🐙 정육면체의 부피를 구하세요.

9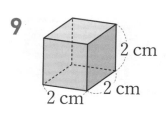

(   ) cm³

10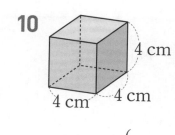

(   ) cm³

11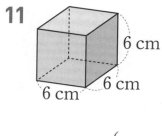

(   ) cm³

12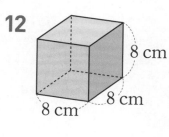

(   ) cm³

13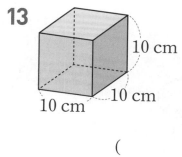

(   ) cm³

14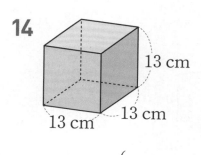

(   ) cm³

15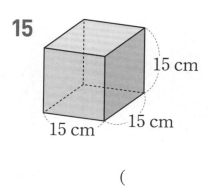

(   ) cm³

16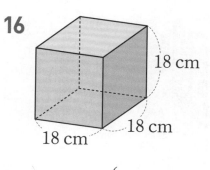

(   ) cm³

◎ 4단계 직육면체의 부피와 겉넓이

마무리 연산

🐙 직육면체의 겉넓이를 구하세요.

1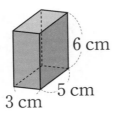
6 cm
5 cm
3 cm

(   ) cm²

2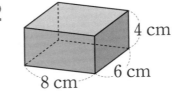
4 cm
8 cm
6 cm

(   ) cm²

3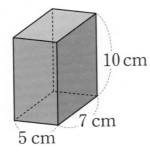
10 cm
7 cm
5 cm

(   ) cm²

4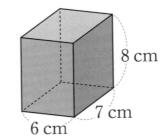
8 cm
7 cm
6 cm

(   ) cm²

5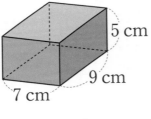
5 cm
9 cm
7 cm

(   ) cm²

6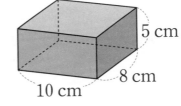
5 cm
8 cm
10 cm

(   ) cm²

7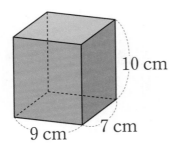
10 cm
7 cm
9 cm

(   ) cm²

8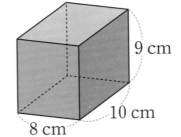
9 cm
10 cm
8 cm

(   ) cm²

🐙 정육면체의 겉넓이를 구하세요.

9
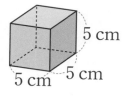
5 cm
5 cm
5 cm

(　　　　　　) cm²

10
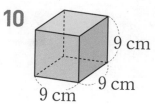
9 cm
9 cm
9 cm

(　　　　　　) cm²

11
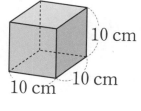
10 cm
10 cm
10 cm

(　　　　　　) cm²

12
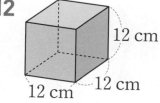
12 cm
12 cm
12 cm

(　　　　　　) cm²

13
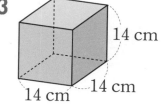
14 cm
14 cm
14 cm

(　　　　　　) cm²

14
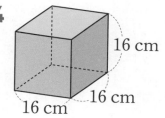
16 cm
16 cm
16 cm

(　　　　　　) cm²

15
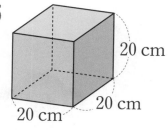
20 cm
20 cm
20 cm

(　　　　　　) cm²

16
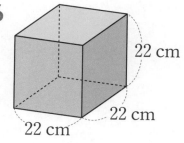
22 cm
22 cm
22 cm

(　　　　　　) cm²

힘수 연산으로 **수학** 기초 체력 UP!

이제 정답을
확인하러 가 볼까?

힘이 붙는 **수학** 연산

정답

초등 6A

금성출판사

차례

정답

초등 6A

하나 둘!
하나 둘!

🎯 1단계 분수의 나눗셈

DAY 01 8~9쪽

1. (자연수)÷(자연수)의 몫을 분수로 나타내기

1 예 , $\dfrac{1}{2}$

2 예 , $\dfrac{1}{5}$

3 예 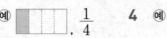 , $\dfrac{1}{4}$

4 예  , $\dfrac{1}{6}$

5 예 , $\dfrac{1}{8}$

6 예 , $\dfrac{1}{9}$

7 $\dfrac{1}{7}$　　**8** $\dfrac{1}{10}$　　**9** $\dfrac{1}{11}$

10 $\dfrac{1}{22}$　　**11** $\dfrac{1}{21}$　　**12** $\dfrac{1}{25}$

13 $\dfrac{1}{26}$　　**14** $\dfrac{1}{13}$　　**15** $\dfrac{1}{19}$

16 $\dfrac{1}{27}$　　**17** $\dfrac{1}{28}$　　**18** $\dfrac{1}{18}$

19 $\dfrac{1}{16}$　　**20** $\dfrac{1}{29}$

4 $\dfrac{2}{5}$　　**5** $\dfrac{2}{11}$　　**6** $\dfrac{3}{14}$

7 $\dfrac{4}{9}$　　**8** $\dfrac{5}{8}$　　**9** $\dfrac{3}{10}$

10 $\dfrac{9}{14}$　　**11** $\dfrac{7}{11}$　　**12** $\dfrac{8}{13}$

13 $\dfrac{8}{23}$　　**14** $\dfrac{11}{24}$　　**15** $\dfrac{10}{17}$

16 $\dfrac{15}{26}$　　**17** $\dfrac{13}{29}$

DAY 02 10~11쪽

1. (자연수)÷(자연수)의 몫을 분수로 나타내기

1 예  , $\dfrac{3}{4}$

2 예 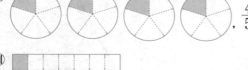 , $\dfrac{4}{5}$

3 예 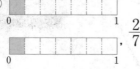 , $\dfrac{2}{7}$

DAY 03 12~13쪽

1. (자연수)÷(자연수)의 몫을 분수로 나타내기

1 $1\dfrac{1}{2}$　　**2** $2\dfrac{1}{2}$　　**3** $1\dfrac{2}{3}$

4 $3\dfrac{1}{2}$　　**5** $2\dfrac{1}{3}$　　**6** $2\dfrac{1}{4}$

7 $1\dfrac{3}{5}$　　**8** $2\dfrac{2}{5}$　　**9** $4\dfrac{1}{2}$

10 $1\dfrac{1}{3}$　　**11** $1\dfrac{1}{5}$　　**12** $1\dfrac{3}{4}$

13 $2\dfrac{1}{6}$　　**14** $2\dfrac{1}{7}$　　**15** $3\dfrac{1}{9}$

16 $2\dfrac{3}{13}$　　**17** $1\dfrac{7}{12}$　　**18** $1\dfrac{3}{10}$

19 $1\dfrac{3}{19}$　　**20** $2\dfrac{9}{17}$

DAY 04   14~15쪽

2. (진분수)÷(자연수)

1 6, 3, 2	**2** 8, 4, 2	**3** 6, 2, 3
4 15, 5, 3	**5** 14, 7, 2	**6** 16, 4, 4
7 10, 2, 5	**8** 12, 3, 4	**9** $\frac{3}{13}$
10 $\frac{3}{11}$	**11** $\frac{2}{19}$	**12** $\frac{2}{15}$
13 $\frac{3}{25}$	**14** $\frac{3}{16}$	**15** $\frac{5}{17}$
16 $\frac{2}{13}$	**17** $\frac{2}{19}$	**18** $\frac{2}{17}$
19 $\frac{5}{23}$	**20** $\frac{6}{19}$	

DAY 05   16~17쪽

2. (진분수)÷(자연수)

1 6, 6, 2	**2** 15, 15, 5	**3** 20, 20, 4
4 20, 20, 5	**5** $\frac{1}{12}$	**6** $\frac{2}{15}$
7 $\frac{5}{12}$	**8** $\frac{3}{20}$	**9** $\frac{5}{21}$
10 $\frac{3}{25}$	**11** $\frac{4}{35}$	**12** $\frac{5}{36}$
13 $\frac{7}{24}$	**14** $\frac{2}{45}$	**15** $\frac{9}{44}$
16 $\frac{5}{36}$		

DAY 06   18~19쪽

2. (진분수)÷(자연수)

1 $\frac{1}{6}, \frac{1}{24}$	**2** $\frac{1}{8}, \frac{3}{32}$	**3** $\frac{1}{5}, \frac{3}{25}$
4 $\frac{1}{4}, \frac{5}{24}$	**5** $\frac{1}{6}, \frac{5}{42}$	**6** $\frac{1}{2}, \frac{5}{16}$
7 $\frac{1}{9}, \frac{7}{81}$	**8** $\frac{1}{5}, \frac{3}{50}$	**9** $\frac{1}{14}$
10 $\frac{1}{9}$	**11** $\frac{1}{20}$	**12** $\frac{1}{15}$
13 $\frac{1}{12}$	**14** $\frac{3}{28}$	**15** $\frac{2}{33}$
16 $\frac{1}{18}$	**17** $\frac{3}{20}$	**18** $\frac{3}{44}$

DAY 07   20~21쪽

2. (진분수)÷(자연수)

1 $\frac{1}{4}$	**2** $\frac{2}{5}$	**3** $\frac{3}{7}$
4 $\frac{1}{6}$	**5** $\frac{3}{28}$	**6** $\frac{3}{40}$
7 $\frac{2}{27}$	**8** $\frac{7}{20}$	**9** $\frac{1}{22}$
10 $\frac{3}{70}$	**11** $\frac{2}{39}$	**12** $\frac{2}{45}$
13 $\frac{1}{26}$	**14** $\frac{1}{48}$	**15** $\frac{1}{8}$
16 $\frac{3}{13}$	**17** $\frac{4}{27}$	**18** $\frac{2}{35}$
19 $\frac{1}{36}$	**20** $\frac{3}{32}$	**21** $\frac{2}{21}$
22 $\frac{2}{33}$		

생활 속 연산 $\frac{7}{15}$ m

3. (가분수)÷(자연수)

1 4, 2, 2	**2** 7, 7, 1	**3** 9, 3, 3
4 6, 3, 2	**5** 12, 3, 4	**6** 9, 3, 3
7 10, 2, 5	**8** 21, 7, 3	**9** $\dfrac{1}{2}$
10 $\dfrac{4}{5}$	**11** $\dfrac{1}{6}$	**12** $\dfrac{5}{7}$
13 $\dfrac{4}{7}$	**14** $\dfrac{3}{8}$	**15** $\dfrac{1}{8}$
16 $\dfrac{5}{9}$	**17** $\dfrac{3}{10}$	**18** $\dfrac{6}{11}$

3. (가분수)÷(자연수)

1 $\dfrac{1}{2}, \dfrac{3}{4}$	**2** $\dfrac{1}{3}, \dfrac{4}{9}$	**3** $\dfrac{1}{2}, \dfrac{5}{8}$
4 $\dfrac{1}{5}, \dfrac{7}{30}$	**5** $\dfrac{1}{5}, \dfrac{9}{25}$	**6** $\dfrac{1}{3}, \dfrac{8}{21}$
7 $\dfrac{1}{4}, \dfrac{9}{32}$	**8** $\dfrac{1}{3}, \dfrac{10}{27}$	**9** $\dfrac{1}{4}$
10 $\dfrac{4}{9}$	**11** $\dfrac{3}{16}$	**12** $\dfrac{1}{10}$
13 $\dfrac{1}{18}$	**14** $\dfrac{5}{28}$	**15** $\dfrac{3}{16}$
16 $\dfrac{1}{18}$	**17** $\dfrac{7}{20}$	**18** $\dfrac{7}{44}$
19 $\dfrac{13}{48}$	**20** $\dfrac{5}{52}$	

3. (가분수)÷(자연수)

1 $\dfrac{11}{45}$에 색칠	**2** $\dfrac{7}{8}$에 색칠
3 $\dfrac{13}{24}$에 색칠	**4** $\dfrac{17}{35}$에 색칠
5 $\dfrac{2}{3}$에 색칠	**6** $\dfrac{2}{5}$에 색칠
7 $\dfrac{1}{4}$에 색칠	**8** $\dfrac{3}{7}$에 색칠

9 **10**

11 **12**

생활 속 연산 $\dfrac{269}{1500}$ t

4. (대분수)÷(자연수)

1 4, 4, $\dfrac{2}{3}$ **2** 9, 9, $\dfrac{3}{4}$ **3** 8, 8, $\dfrac{2}{5}$

4 28, 28, $\dfrac{4}{5}$ **5** 30, 30, $\dfrac{5}{7}$

6 (위에서부터) $\dfrac{2}{5}, \dfrac{3}{5}$

7 (위에서부터) $\dfrac{3}{7}, \dfrac{1}{7}$

8 (위에서부터) $\dfrac{7}{8}, \dfrac{3}{8}$

9 (위에서부터) $\dfrac{4}{5}, 2\dfrac{4}{5}$

10 (위에서부터) $1\dfrac{1}{3}, \dfrac{2}{3}$

11 (위에서부터) $\dfrac{2}{9}, \dfrac{8}{9}$

DAY 12 30~31쪽

4. (대분수)÷(자연수)

1 4, 4, 3, $\frac{4}{9}$ **2** 13, 13, 5, $\frac{13}{20}$

3 9, 9, 4, $\frac{9}{28}$ **4** 22, 22, 5, $\frac{22}{25}$

5 23, 23, 5, $\frac{23}{30}$

6 $\frac{6}{7}$ **7** $\frac{4}{5}$ **8** $\frac{4}{7}$

9 $1\frac{1}{6}$ **10** $\frac{11}{18}$ **11** $\frac{7}{12}$

12 $\frac{29}{42}$ **13** $\frac{29}{32}$ **14** $\frac{7}{10}$

15 $\frac{7}{16}$ **16** $\frac{23}{42}$ **17** $\frac{5}{6}$

DAY 13 32~33쪽

4. (대분수)÷(자연수)

1 $\frac{2}{7}$에 색칠   **2** $\frac{6}{11}$에 색칠

3 $\frac{2}{17}$에 색칠   **4** $\frac{17}{27}$에 색칠

5 $\frac{13}{20}$에 색칠   **6** $\frac{9}{20}$에 색칠

7 $\frac{17}{32}$에 색칠   **8** $\frac{5}{16}$에 색칠

9   **10**

11   **12**

생활 속 연산 $1\frac{3}{5}$ m²

DAY 14 34~35쪽

마무리 연산

1 $\frac{1}{4}$ **2** $\frac{1}{13}$ **3** $\frac{2}{7}$

4 $\frac{1}{8}$ **5** $1\frac{5}{6}$ **6** $1\frac{2}{3}$

7 $\frac{2}{7}$ **8** $\frac{2}{9}$ **9** $\frac{7}{30}$

10 $\frac{5}{12}$ **11** $\frac{1}{33}$ **12** $\frac{1}{32}$

13 $\frac{3}{49}$ **14** $\frac{3}{20}$ **15** $\frac{1}{3}$

16 $\frac{1}{7}$ **17** $1\frac{2}{9}$ **18** $3\frac{1}{4}$

19 $\frac{3}{7}$ **20** $\frac{2}{11}$ **21** $\frac{2}{27}$

22 $\frac{4}{15}$ **23** $\frac{4}{39}$ **24** $\frac{7}{34}$

25 $\frac{3}{26}$ **26** $\frac{4}{45}$

DAY 15 36~37쪽

마무리 연산

1 $\frac{2}{3}$ **2** $1\frac{1}{4}$ **3** $1\frac{1}{7}$

4 $1\frac{1}{15}$ **5** $\frac{12}{55}$ **6** $\frac{1}{30}$

7 $\frac{2}{5}$ **8** $\frac{4}{7}$ **9** $\frac{4}{9}$

10 $\frac{3}{22}$ **11** $\frac{25}{72}$ **12** $2\frac{2}{3}$

13 $\frac{9}{11}$ **14** $\frac{10}{13}$ **15** $\frac{4}{9}$

16 $\frac{5}{8}$ **17** $\frac{2}{3}$ **18** $\frac{7}{16}$

19 $\frac{3}{4}$ **20** $\frac{8}{21}$ **21** $\frac{2}{5}$

22 $\frac{3}{16}$ **23** $2\frac{1}{7}$ **24** $\frac{11}{14}$

25 $\frac{5}{11}$ **26** $\frac{9}{20}$

DAY 01

1. 자연수의 나눗셈을 이용한 (소수)÷(자연수)

1 13.1, 1.31   **2** 10.2, 1.02   **3** 32.4, 3.24

4 131, 13.1, 1.31 / $\frac{1}{10}$, $\frac{1}{100}$

5 231, 23.1, 2.31 / $\frac{1}{10}$, $\frac{1}{100}$

6 221, 22.1, 2.21 / $\frac{1}{10}$, $\frac{1}{100}$

7 312, 31.2, 3.12 / $\frac{1}{10}$, $\frac{1}{100}$

DAY 02

1. 자연수의 나눗셈을 이용한 (소수)÷(자연수)

1 142, 14.2, 1.42   **2** 212, 21.2, 2.12

3 101, 10.1, 1.01   **4** 111, 11.1, 1.11

5 113, 11.3, 1.13   **6** 412, 41.2, 4.12

7 442, 44.2, 4.42   **8** 201, 20.1, 2.01

9 321, 32.1, 3.21   **10** 332, 33.2, 3.32

11 124, 12.4, 1.24   **12** 234, 23.4, 2.34

13 312, 31.2, 3.12   **14** 123, 12.3, 1.23

15 221, 22.1, 2.21   **16** 111, 11.1, 1.11

17 101, 10.1, 1.01   **18** 334, 33.4, 3.34

19 222, 22.2, 2.22   **20** 301, 30.1, 3.01

DAY 03

2. 각 자리에서 나누어떨어지는 (소수)÷(자연수)

1
$$\begin{array}{r} 1.3 \\ 2\overline{)2.6} \\ 2 \\ \hline 6 \\ 6 \\ \hline 0 \end{array}$$

2
$$\begin{array}{r} 3.2 \\ 2\overline{)6.4} \\ 6 \\ \hline 4 \\ 4 \\ \hline 0 \end{array}$$

3
$$\begin{array}{r} 4.3 \\ 2\overline{)8.6} \\ 8 \\ \hline 6 \\ 6 \\ \hline 0 \end{array}$$

4
$$\begin{array}{r} 1.2 \\ 3\overline{)3.6} \\ 3 \\ \hline 6 \\ 6 \\ \hline 0 \end{array}$$

5
$$\begin{array}{r} 2.1 \\ 3\overline{)6.3} \\ 6 \\ \hline 3 \\ 3 \\ \hline 0 \end{array}$$

6
$$\begin{array}{r} 3.2 \\ 3\overline{)9.6} \\ 9 \\ \hline 6 \\ 6 \\ \hline 0 \end{array}$$

7 4.2   **8** 2.3   **9** 2.2

10 1.1   **11** 2.4   **12** 2.1

13 2.2   **14** 1.1   **15** 3.1

16 1.2   **17** 4.4   **18** 1.1

DAY 04

2. 각 자리에서 나누어떨어지는 (소수)÷(자연수)

1 46, 46, 23, 2.3   **2** 39, 39, 13, 1.3

3 55, 55, 11, 1.1   **4** 396, 396, 132, 13.2

5 448, 448, 112, 11.2

6 1.4　　**7** 3.4　　**8** 2.3

9 2.2　　**10** 12.2　　**11** 12.1

12 21.3　　**13** 43.1　　**14** 12.3

15 32.1　　**16** 22.2　　**17** 21.2

2. 각 자리에서 나누어떨어지는 (소수)÷(자연수)

1 268, 268, 134, 1.34

2 693, 693, 231, 2.31

3 884, 884, 221, 2.21

4 4648, 4648, 2324, 23.24

5 6339, 6339, 2113, 21.13

6 2.14　　**7** 2.32　　**8** 1.11

9 1.01　　**10** 23.13　　**11** 10.12

12 12.23　　**13** 21.12　　**14** 31.23

15 21.21　　**16** 44.23　　**17** 41.21

2. 각 자리에서 나누어떨어지는 (소수)÷(자연수)

1
```
      1 . 1 3
  2 ) 2 . 2 6
      2
        2
        2
          6
          6
          0
```

2
```
      1 . 3 2
  3 ) 3 . 9 6
      3
        9
        9
          6
          6
          0
```

3
```
      1 . 2 2
  4 ) 4 . 8 8
      4
        8
        8
          8
          8
          0
```

4 2.43　　**5** 3.21　　**6** 2.12

7 1.43　　**8** 2.14　　**9** 3.41

10 1.23　　**11** 2.31　　**12** 1.21

13 4.42　　**14** 3.32　　**15** 2.11

2. 각 자리에서 나누어떨어지는 (소수)÷(자연수)

1 4.1　　**2** 2.1　　**3** 14.2

4 21.3　　**5** 12.2　　**6** 31.1

7 1.24　　**8** 4.11　　**9** 1.11

10 2.31　　**11** 24.01　　**12** 22.13

13 21.14　　**14** 11.33　　**15** 2.4

16 1.2　　**17** 4.21　　**18** 1.22

19 1.11　　**20** 1.32　　**21** 1.21

22 1.43　　**23** 11.3　　**24** 12.1

3. 각 자리에서 나누어떨어지지 않는 (소수)÷(자연수)

1
```
      2.7
  2)5.4
    4
    1 4
    1 4
        0
```

2
```
      2.5
  3)7.5
    6
    1 5
    1 5
        0
```

3
```
      4.9
  2)9.8
    8
    1 8
    1 8
        0
```

4
```
      1.9
  3)5.7
    3
    2 7
    2 7
        0
```

5
```
      2.4
  4)9.6
    8
    1 6
    1 6
        0
```

6
```
      2.7
  3)8.1
    6
    2 1
    2 1
        0
```

7 5.7   **8** 6.7   **9** 5.9

10 3.5   **11** 4.9   **12** 2.7

13 5.4   **14** 4.6   **15** 3.5

16 4.4   **17** 3.9   **18** 2.9

3. 각 자리에서 나누어떨어지지 않는 (소수)÷(자연수)

1 3, 14, 1.4   **2** 5, 33, 3.3

3 8, 28, 2.8   **4** 15, 29, 2.9

5 2.7   **6** 1.8   **7** 4.4

8 2.6   **9** 2.7   **10** 1.5

11 1.7   **12** 2.9   **13** 2.9

14 3.4   **15** 2.7   **16** 3.6

3. 각 자리에서 나누어떨어지지 않는 (소수)÷(자연수)

1
```
      4.7 3
  2)9.4 6
    8
    1 4
    1 4
        6
        6
        0
```

2
```
      2.2 3
  4)8.9 2
    8
      9
      8
      1 2
      1 2
          0
```

3
```
      2.9 8
  3)8.9 4
    6
    2 9
    2 7
      2 4
      2 4
          0
```

4 3.68   **5** 2.84   **6** 1.78

7 4.68   **8** 6.49   **9** 7.49

10 3.79   **11** 4.87   **12** 5.98

13 4.58   **14** 2.34   **15** 3.94

3. 각 자리에서 나누어떨어지지 않는 (소수)÷(자연수)

1 2, 367, 3.67   **2** 3, 456, 4.56

3 6, 734, 7.34   **4** 16, 356, 3.56

5 2.89   **6** 1.64   **7** 1.49

8 1.58   **9** 8.24   **10** 9.47

11 3.48   **12** 4.69   **13** 2.67

14 3.41   **15** 4.77   **16** 2.61

DAY 12

3. 각 자리에서 나누어떨어지지 않는 (소수)÷(자연수)

1 2.7		**2** 2.5		**3** 4.4	
4 5.9		**5** 2.2		**6** 7.2	
7 3.5		**8** 4.1		**9** 3.24	
10 2.47		**11** 9.46		**12** 4.76	
13 1.34		**14** 4.89		**15** 1.5	
16 2.5		**17** 4.7		**18** 5.9	
19 2.41		**20** 1.67		**21** 6.24	
22 8.83		**23** 2.68		**24** 3.47	

생활 속 연산 8.41 m

DAY 13

4. 몫이 1보다 작은 소수인 (소수)÷(자연수)

1
$$\begin{array}{r} 0.6 \\ 2\overline{)1.2} \\ 1\ 2 \\ \hline 0 \end{array}$$

2
$$\begin{array}{r} 0.9 \\ 3\overline{)2.7} \\ 2\ 7 \\ \hline 0 \end{array}$$

3
$$\begin{array}{r} 0.8 \\ 4\overline{)3.2} \\ 3\ 2 \\ \hline 0 \end{array}$$

4
$$\begin{array}{r} 0.5 \\ 5\overline{)2.5} \\ 2\ 5 \\ \hline 0 \end{array}$$

5
$$\begin{array}{r} 0.7 \\ 6\overline{)4.2} \\ 4\ 2 \\ \hline 0 \end{array}$$

6
$$\begin{array}{r} 0.8 \\ 7\overline{)5.6} \\ 5\ 6 \\ \hline 0 \end{array}$$

7
$$\begin{array}{r} 0.8 \\ 6\overline{)4.8} \\ 4\ 8 \\ \hline 0 \end{array}$$

8
$$\begin{array}{r} 0.8 \\ 8\overline{)6.4} \\ 6\ 4 \\ \hline 0 \end{array}$$

9
$$\begin{array}{r} 0.4 \\ 9\overline{)3.6} \\ 3\ 6 \\ \hline 0 \end{array}$$

10 0.7		**11** 0.3		**12** 0.8	
13 0.7		**14** 0.6		**15** 0.5	
16 0.9		**17** 0.8		**18** 0.6	
19 0.9					

DAY 14

4. 몫이 1보다 작은 소수인 (소수)÷(자연수)

1
$$\begin{array}{r} 0.2\ 6 \\ 2\overline{)0.5\ 2} \\ 4 \\ \hline 1\ 2 \\ 1\ 2 \\ \hline 0 \end{array}$$

2
$$\begin{array}{r} 0.2\ 7 \\ 3\overline{)0.8\ 1} \\ 6 \\ \hline 2\ 1 \\ 2\ 1 \\ \hline 0 \end{array}$$

3
$$\begin{array}{r} 0.2\ 3 \\ 4\overline{)0.9\ 2} \\ 8 \\ \hline 1\ 2 \\ 1\ 2 \\ \hline 0 \end{array}$$

4
$$\begin{array}{r} 0.1\ 9 \\ 5\overline{)0.9\ 5} \\ 5 \\ \hline 4\ 5 \\ 4\ 5 \\ \hline 0 \end{array}$$

5
$$\begin{array}{r} 0.1\ 2 \\ 6\overline{)0.7\ 2} \\ 6 \\ \hline 1\ 2 \\ 1\ 2 \\ \hline 0 \end{array}$$

6
$$\begin{array}{r} 0.1\ 3 \\ 7\overline{)0.9\ 1} \\ 7 \\ \hline 2\ 1 \\ 2\ 1 \\ \hline 0 \end{array}$$

7 0.16		**8** 0.29		**9** 0.36	
10 0.17		**11** 0.16		**12** 0.18	
13 0.25		**14** 0.28		**15** 0.13	
16 0.24		**17** 0.13		**18** 0.14	

DAY 15
4. 몫이 1보다 작은 소수인 (소수)÷(자연수)

1
```
      0 . 3  8
3 ) 1 . 1  4
      9
      2  4
      2  4
         0
```

2
```
      0 . 8  4
4 ) 3 . 3  6
      3  2
      1  6
      1  6
         0
```

3
```
      0 . 4  7
5 ) 2 . 3  5
      2  0
      3  5
      3  5
         0
```

4
```
      0 . 3  6
6 ) 2 . 1  6
      1  8
      3  6
      3  6
         0
```

5
```
      0 . 2  7
7 ) 1 . 8  9
      1  4
      4  9
      4  9
         0
```

6
```
      0 . 7  3
8 ) 5 . 8  4
      5  6
      2  4
      2  4
         0
```

7 0.69 **8** 0.88 **9** 0.47

10 0.78 **11** 0.46 **12** 0.29

13 0.51 **14** 0.63 **15** 0.64

16 0.49 **17** 0.77 **18** 0.89

DAY 16
4. 몫이 1보다 작은 소수인 (소수)÷(자연수)

1 0.8 **2** 0.6 **3** 0.7

4 0.6 **5** 0.9 **6** 0.8

7 0.29 **8** 0.18 **9** 0.12

10 0.13 **11** 0.94 **12** 0.42

13 0.54 **14** 0.88 **15** 0.9 L

16 0.5 L **17** 0.3 L **18** 0.5 L

19 0.15 L **20** 0.19 L **21** 0.74 L

22 0.43 L

DAY 17
5. 소수점 아래 0을 내려 계산하는 (소수)÷(자연수)

1
```
      0 . 1  5
4 ) 0 . 6  0
      4
      2  0
      2  0
         0
```

2
```
      0 . 1  5
2 ) 0 . 3  0
      2
      1  0
      1  0
         0
```

3
```
      0 . 1  2
5 ) 0 . 6  0
      5
      1  0
      1  0
         0
```

4
```
      0 . 2  5
2 ) 0 . 5  0
      4
      1  0
      1  0
         0
```

5
```
      0 . 1  5
6 ) 0 . 9  0
      6
      3  0
      3  0
         0
```

6
```
      0 . 1  4
5 ) 0 . 7  0
      5
      2  0
      2  0
         0
```

7 0.54 **8** 0.95 **9** 0.55

10 2.85 **11** 2.35 **12** 1.62

13 2.15 **14** 1.46 **15** 1.55

16 1.25 **17** 1.45 **18** 1.15

DAY 18 74~75쪽

5. 소수점 아래 0을 내려 계산하는 (소수)÷(자연수)

1 2, 20, 20, 4, 0.04

2 68, 680, 680, 85, 0.85

3 78, 780, 780, 195, 1.95

4 66, 660, 660, 165, 1.65

5 42, 420, 420, 35, 0.35

6 0.45   **7** 0.16   **8** 0.25

9 0.92   **10** 3.15   **11** 2.45

12 1.34   **13** 1.35   **14** 0.65

15 0.35

DAY 19 76~77쪽

5. 소수점 아래 0을 내려 계산하는 (소수)÷(자연수)

1
```
        4 . 2 8
  5 ) 2 1 . 4 0
      2 0
        1 4
        1 0
          4 0
          4 0
            0
```

2
```
        3 . 2 5
  6 ) 1 9 . 5 0
      1 8
        1 5
        1 2
          3 0
          3 0
            0
```

3
```
        6 . 3 5
  8 ) 5 0 . 8 0
      4 8
        2 8
        2 4
          4 0
          4 0
            0
```

4 6.85   **5** 6.35   **6** 7.58

7 8.35   **8** 2.45   **9** 3.35

10 3.45   **11** 5.85   **12** 1.85

13 1.52   **14** 2.65   **15** 1.45

DAY 20 78~79쪽

5. 소수점 아래 0을 내려 계산하는 (소수)÷(자연수)

1 1780, 445, 4.45

2 213, 2130, 2130, 355, 3.55

3 371, 3710, 3710, 742, 7.42

4 721, 7210, 7210, 515, 5.15

5 8.35   **6** 3.35   **7** 5.36

8 5.25   **9** 8.38   **10** 7.16

11 3.68   **12** 2.65   **13** 2.65

14 3.45   **15** 5.28   **16** 7.15

DAY 21 80~81쪽

5. 소수점 아래 0을 내려 계산하는 (소수)÷(자연수)

1 0.15   **2** 0.14   **3** 0.85

4 0.95   **5** 3.55   **6** 2.15

7 0.35   **8** 0.54   **9** 3.38

10 2.42   **11** 6.25   **12** 2.55

13 5.55   **14** 4.36

15   **16**   **17**

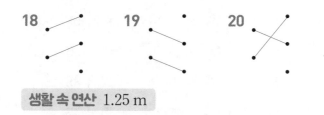

18   **19**   **20**

생활 속 연산 1.25 m

---

6. 몫의 소수 첫째 자리에 0이 있는 (소수)÷(자연수)

1
```
      2 . 0 5
  2 ) 4 . 1 0
      4
        1 0
        1 0
          0
```

2
```
      1 . 0 8
  5 ) 5 . 4 0
      5
          4 0
          4 0
            0
```

3
```
      1 . 0 5
  4 ) 4 . 2 0
      4
        2 0
        2 0
          0
```

4
```
      1 . 0 2
  5 ) 5 . 1 0
      5
        1 0
        1 0
          0
```

5
```
      3 . 0 5
  2 ) 6 . 1 0
      6
        1 0
        1 0
          0
```

6
```
      1 . 0 5
  8 ) 8 . 4 0
      8
          4 0
          4 0
            0
```

7 6.05 **8** 7.05 **9** 5.08

10 4.05 **11** 5.06 **12** 6.05

13 4.05 **14** 2.05 **15** 2.04

16 4.03 **17** 4.05 **18** 3.02

---

6. 몫의 소수 첫째 자리에 0이 있는 (소수)÷(자연수)

1 52, 520, 520, 104, 1.04

2 564, 5640, 5640, 705, 7.05

3 322, 3220, 3220, 805, 8.05

4 427, 4270, 4270, 305, 3.05

5 4.04 **6** 9.05 **7** 6.05

8 7.08 **9** 2.06 **10** 6.04

11 3.08 **12** 6.05 **13** 5.05

14 3.05

---

6. 몫의 소수 첫째 자리에 0이 있는 (소수)÷(자연수)

1
```
      2 . 0 8
  2 ) 4 . 1 6
      4
        1 6
        1 6
          0
```

2
```
      3 . 0 7
  2 ) 6 . 1 4
      6
        1 4
        1 4
          0
```

3
```
      3 . 0 6
  3 ) 9 . 1 8
      9
        1 8
        1 8
          0
```

4
```
      1 . 0 3
  5 ) 5 . 1 5
      5
        1 5
        1 5
          0
```

5
```
      1 . 0 4
  6 ) 6 . 2 4
      6
        2 4
        2 4
          0
```

6
```
      1 . 0 6
  8 ) 8 . 4 8
      8
          4 8
          4 8
            0
```

7 6.08	**8** 5.04	**9** 3.08
10 4.07	**11** 5.09	**12** 5.08
13 9.03	**14** 4.06	**15** 7.08
16 4.03	**17** 3.04	**18** 2.06

DAY 25 88~89쪽
6. 몫의 소수 첫째 자리에 0이 있는 (소수)÷(자연수)

1 618, 618, 206, 2.06

2 832, 832, 208, 2.08

3 1545, 1545, 309, 3.09

4 4963, 4963, 709, 7.09

5 4884, 4884, 407, 4.07

6 3.07	**7** 2.03	**8** 1.08
9 1.08	**10** 5.09	**11** 8.07
12 7.06	**13** 5.09	**14** 2.03
15 4.07	**16** 4.02	**17** 3.08

DAY 26 90~91쪽
6. 몫의 소수 첫째 자리에 0이 있는 (소수)÷(자연수)

1 1.04	**2** 4.05	**3** 5.05
4 8.05	**5** 3.05	**6** 2.02
7 1.09	**8** 1.08	**9** 8.05
10 4.02	**11** 6.06	**12** 5.06
13 2.07	**14** 3.08	**15** 4.08 cm
16 4.05 cm	**17** 2.05 cm	**18** 3.05 cm
19 4.03 cm	**20** 5.04 cm	**21** 6.02 cm
22 7.07 cm		

DAY 27 92~93쪽
7. (자연수)÷(자연수)

1
```
    1 . 5
2 ) 3   0
    2
    1   0
    1   0
        0
```
2
```
    1 . 6
5 ) 8   0
    5
    3   0
    3   0
        0
```
3
```
    7 . 5
2 ) 1 5   0
    1 4
      1   0
      1   0
          0
```
4
```
    0 . 6
5 ) 3   0
    3   0
        0
```
5
```
    0 . 4
5 ) 2   0
    2   0
        0
```
6
```
    0 . 5
6 ) 3   0
    3   0
        0
```

7 5.5	**8** 3.5	**9** 1.5
10 6.25	**11** 2.25	**12** 2.75
13 0.75	**14** 0.25	**15** 0.32
16 0.75	**17** 0.55	**18** 0.84

DAY 28 94~95쪽
7. (자연수)÷(자연수)

1 9, 45, 4.5	**2** 3, 75, 0.75
3 30, 15, 375, 3.75	**4** 42, 14, 28, 2.8
5 27, 9, 225, 2.25	

6 2.5	**7** 1.5	**8** 6.8
9 0.8	**10** 3.75	**11** 1.25
12 1.45	**13** 0.75	**14** 0.45
15 0.55	**16** 0.56	**17** 0.75

7. (자연수)÷(자연수)

1 3.5	**2** 1.6	**3** 8.4
4 1.6	**5** 1.8	**6** 3.2
7 2.4	**8** 3.6	**9** 1.25
10 1.25	**11** 1.75	**12** 1.75
13 1.08	**14** 1.05	**15** 6.5
16 3.5	**17** 3.75	**18** 0.55
19 0.7	**20** 0.8	**21** 0.64
22 0.48		

생활 속 연산 0.4배

마무리 연산

1 3.22	**2** 4.32	**3** 3.42
4 5.8	**5** 5.8	**6** 9.8
7 2.78	**8** 1.24	**9** 2.34
10 0.9	**11** 0.8	**12** 0.6
13 0.26	**14** 0.17	**15** 0.12
16 12.1	**17** 10.1	**18** 2.13
19 12.21	**20** 2.6	**21** 2.4
22 3.83	**23** 7.36	**24** 0.6
25 0.7	**26** 0.48	**27** 0.74
28 0.55	**29** 0.69	

마무리 연산

1 1.35	**2** 4.55	**3** 1.25
4 3.15	**5** 2.15	**6** 4.55
7 1.05	**8** 1.06	**9** 3.05
10 2.08	**11** 3.07	**12** 4.09
13 1.8	**14** 6.5	**15** 0.08
16 1.15	**17** 4.35	**18** 3.85
19 5.35	**20** 9.05	**21** 5.06
22 1.06	**23** 6.07	**24** 4.5
25 0.6	**26** 1.25	**27** 0.75
28 1.68	**29** 0.45	

🎯 3단계 비와 비율

1. 비

1 2, 4　**2** 3, 4　**3** 4, 5

4 5, 7　**5** 8, 11　**6** 9, 4

7 2, 3 / 2, 3 / 2, 3 / 3, 2

8 5, 6 / 5, 6 / 5, 6 / 6, 5

9 3, 8 / 3, 8 / 3, 8 / 8, 3

10 7, 10 / 7, 10 / 7, 10 / 10, 7

11 9, 7 / 9, 7 / 9, 7 / 7, 9

12 12, 11 / 12, 11 / 12, 11 / 11, 12

1. 비

1 3, 5　**2** 10, 7　**3** 4, 7

4 9, 6　**5** 8, 5　**6** 8, 9

7 11, 10　**8** 13, 15　**9** 6, 11

10 9, 14　**11** 19, 15　**12** 13, 10

13 15, 29

1. 비

1 1, 3　**2** 1, 6　**3** 3, 4

4 3, 8　**5** 2, 5　**6** 4, 9

7 5, 6　**8** 7, 12　**9** 5, 8

10 15, 16

11 예　**12** 예

13 예　**14** 예

15 예　**16** 예

17 예　**18** 예

생활 속 연산 1200 : 67

2. 비율

1 5 / 5　**2** 7 / 7　**3** 10 / $\frac{8}{10}$, 4

4 18 / $\frac{9}{18}$, 1　**5** $\frac{4}{7}$　**6** $\frac{8}{25}$

7 $\frac{5}{9}$　**8** $\frac{7}{11}$　**9** $\frac{13}{18}$

10 $\frac{21}{32}$　**11** $\frac{3}{5}$　**12** $\frac{8}{13}$

13 $\frac{10}{15}\left(=\frac{2}{3}\right)$　**14** $\frac{16}{24}\left(=\frac{2}{3}\right)$　**15** $\frac{4}{7}$

16 $\frac{9}{20}$

DAY 05
112~113쪽
2. 비율

1 7 / 7, 0.7		**2** 10 / 10, 1.2	
3 6 / 6, 3, 15, 1.5		**4** 8 / 8, 4, 175, 1.75	
5 0.4	**6** 0.25	**7** 0.3	
8 0.8	**9** 0.2	**10** 1.2	
11 0.5	**12** 0.8	**13** 1.25	
14 1.5	**15** 0.3	**16** 2.25	

DAY 06
114~115쪽
2. 비율

1 5	**2** 24	**3** 8
4 1	**5** 10	**6** 9
7 5	**8** 5	
9 250	**10** 325	

11 $12000 \times 0.02 = 240$

12 $20000 \times 0.02 = 400$

13 $40000 \times 0.03 = 1200$

14 $45000 \times 0.03 = 1350$

DAY 07
116~117쪽
2. 비율

1 250	**2** 230	**3** 140
4 70	**5** 60	**6** 80
7 800	**8** 950	**9** 930
10 910	**11** 925	**12** 920

DAY 08
118~119쪽
2. 비율

1 30	**2** 20	**3** 120
4 170	**5** 80	**6** 90
7 160	**8** 200	**9** 290
10 80	**11** 250	**12** 138
13 50	**14** 125	

DAY 09
120~121쪽
3. 백분율

1 75 %	**2** 40 %	**3** 30 %
4 90 %	**5** 55 %	**6** 68 %
7 54 %	**8** 86 %	**9** 40 %
10 80 %	**11** 7 %	**12** 9 %
13 18 %	**14** 27 %	**15** 59 %
16 67 %	**17** 60 %	**18** 8 %
19 13.9 %	**20** 21.5 %	**21** 56.8 %
22 72.5 %		

DAY 10
3. 백분율

1 17	**2** 39	**3** 24, $\frac{6}{25}$
4 38, $\frac{19}{50}$	**5** 44, $\frac{11}{25}$	**6** 56, $\frac{14}{25}$
7 78, $\frac{39}{50}$	**8** 75, $\frac{3}{4}$	**9** 84, $\frac{21}{25}$
10 95, $\frac{19}{20}$	**11** $\frac{3}{10}$	**12** $\frac{7}{20}$
13 $\frac{11}{50}$	**14** $\frac{17}{25}$	**15** $\frac{3}{25}$
16 $\frac{1}{20}$	**17** $\frac{24}{25}$	**18** $\frac{11}{20}$
19 $\frac{1}{4}$	**20** $\frac{33}{50}$	**21** $\frac{7}{25}$
22 $\frac{21}{50}$	**23** $\frac{3}{50}$	**24** $\frac{16}{25}$

DAY 11
3. 백분율

1 8, 0.08	**2** 7, 0.07	**3** 15, 0.15
4 26, 0.26	**5** 10, 0.1	**6** 36, 0.36
7 44, 0.44	**8** 53, 0.53	**9** 69, 0.69
10 72, 0.72	**11** 0.81	**12** 0.02
13 0.47	**14** 0.7	**15** 0.04
16 0.12	**17** 0.27	**18** 0.84
19 0.5	**20** 0.93	**21** 0.739
22 0.337	**23** 0.867	**24** 0.675

DAY 12
3. 백분율

1 56 %	**2** 72 %	**3** 60 %
4 24 %	**5** 70 %	**6** 40 %
7 40 %	**8** 70 %	**9** 30 %
10 28 %	**11** 70 %	**12** 20 %

DAY 13
3. 백분율

1 40 %	**2** 30 %	**3** 35 %
4 25 %	**5** 55 %	**6** 45 %
7 5 %	**8** 8 %	**9** 15 %
10 18 %	**11** 24 %	**12** 25 %

생활 속 연산 20 %

DAY 14
마무리 연산

1 $\frac{7}{9}$	**2** $\frac{17}{32}$	**3** $\frac{8}{11}$
4 $\frac{8}{15}$	**5** $\frac{1}{13}$	**6** $\frac{5}{9}$
7 $\frac{16}{20}\left(=\frac{4}{5}\right)$	**8** $\frac{24}{36}\left(=\frac{2}{3}\right)$	**9** $\frac{10}{25}\left(=\frac{2}{5}\right)$
10 $\frac{18}{26}\left(=\frac{9}{13}\right)$	**11** $\frac{18}{40}\left(=\frac{9}{20}\right)$	**12** $\frac{30}{55}\left(=\frac{6}{11}\right)$
13 0.6	**14** 0.35	**15** 0.75
16 0.4	**17** 0.4	**18** 1.5
19 0.5	**20** 0.8	**21** 0.25
22 0.6	**23** 0.5	**24** 0.8

마무리 연산

1 80 %	**2** 90 %	**3** 65 %
4 85 %	**5** 36 %	**6** 76 %
7 78 %	**8** 94 %	**9** 60 %
10 5 %	**11** 37 %	**12** 69 %
13 0.7 %	**14** 82.5 %	**15** 15 %
16 16 %	**17** 20 %	**18** 20 %
19 40 %	**20** 40 %	**21** 35 %
22 30 %	**23** 45 %	**24** 60 %

🎯 4단계 직육면체의 부피와 겉넓이

1. 직육면체의 부피

1 5, 4, 7 / 140		**2** 3, 6, 9 / 162
3 120	**4** 240	**5** 180
6 546	**7** 120	**8** 175
9 120	**10** 128	**11** 200
12 144	**13** 240	**14** 540

1. 직육면체의 부피

1 60	**2** 72	**3** 175
4 96	**5** 96	**6** 105
7 168	**8** 180	**9** 6000
10 8400	**11** 9000	**12** 7500
13 10000	**14** 14000	**15** 18000
16 22500		

1. 직육면체의 부피

1 6	**2** 9	**3** 40
4 30	**5** 52	**6** 45
7 1.2	**8** 9	**9** 16
10 14	**11** 25	**12** 40.5
13 58.8	**14** 44.1	

DAY 04
142~143쪽

1. 직육면체의 부피

1 32	**2** 54.4	**3** 52.5
4 52	**5** 60.9	**6** 70
7 32	**8** 89.6	**9** 13.5
10 63	**11** 50.4	**12** 9.9
13 67.5	**14** 11.4	**15** 84
16 160		

DAY 05
144~145쪽

2. 정육면체의 부피

1 3, 3, 3 / 27	**2** 4, 4, 4 / 64	
3 125	**4** 216	**5** 343
6 512	**7** 729	**8** 1000
9 1331	**10** 1728	**11** 2197
12 3375	**13** 5832	**14** 8000

DAY 06
146~147쪽

2. 정육면체의 부피

1 1000	**2** 1728	**3** 2744
4 4913	**5** 13824	**6** 15625
7 27000	**8** 64000	**9** 216
10 64	**11** 729	**12** 125
13 8	**14** 343	**15** 512
16 27		

DAY 07
148~149쪽

2. 정육면체의 부피

1 27	**2** 64	**3** 125
4 216	**5** 39.304	**6** 91.125
7 343	**8** 1000	**9** 4.096
10 10.648	**11** 15.625	**12** 46.656

생활 속 연산 13.824 m^2

DAY 08
150~151쪽

3. 여러 가지 입체도형의 부피

1 7, 3 / 588, 147, 441		
2 10, 5 / 520, 60, 460		
3 156	**4** 318	**5** 246
6 462	**7** 400	**8** 380
9 5275	**10** 6688	

DAY 09
152~153쪽

3. 여러 가지 입체도형의 부피

1 3, 4 / 105, 336, 441		
2 5, 5, 5 / 260, 100, 100, 460		
3 3600	**4** 2880	**5** 992
6 1750	**7** 1260	**8** 1526
9 1568	**10** 3264	

DAY 16 166~167쪽

5. 정육면체의 겉넓이

1 5, 5, 150		**2** 7, 7, 294	
3 10, 10, 600		**4** 20, 20, 2400	
5 24	**6** 54	**7** 96	
8 216	**9** 384	**10** 486	
11 864	**12** 1350		

DAY 17 168~169쪽

5. 정육면체의 겉넓이

1 54	**2** 150	**3** 600
4 726	**5** 1014	**6** 1176
7 1536	**8** 2400	**9** 600
10 1350	**11** 1734	**12** 1944
13 2646	**14** 4056	**15** 5400
16 9600		

DAY 18 170~171쪽

5. 정육면체의 겉넓이

1 96	**2** 384	**3** 486
4 1350	**5** 1734	**6** 1944
7 2904	**8** 3750	**9** 486
10 726	**11** 1014	**12** 1176
13 1536	**14** 2166	

생활 속 연산 864 cm^2

DAY 19 172~173쪽

마무리 연산

1 60	**2** 72	**3** 120
4 240	**5** 648	**6** 432
7 480	**8** 350	**9** 8
10 64	**11** 216	**12** 512
13 1000	**14** 2197	**15** 3375
16 5832		

DAY 20 174~175쪽

마무리 연산

1 126	**2** 208	**3** 310
4 292	**5** 286	**6** 340
7 446	**8** 484	**9** 150
10 486	**11** 600	**12** 864
13 1176	**14** 1536	**15** 2400
16 2904		

MEMO

MEMO

MEMO

힘이 붙는 수학

연산

초등 **6A**

힘이
붙는
수학
연산

힘이 붙는 **수학** 연산